D0589741

CHEVAL DE GUERRE

Titre original : *War Horse*

Édition originale publiée en 1982, en Grande-Bretagne,
par Kaye et Ward Ltd, Tadworth
© Michael Morpurgo, 1982, pour le texte
© Éditions Gallimard, 1986, pour la traduction française
© Éditions Gallimard Jeunesse, 2011, pour la présente édition

MICHAEL MORPURGO

CHEVAL DE GUERRE

Traduit de l'anglais
par André Dupuis

GALLIMARD JEUNESSE

Au lecteur

Nombreux sont ceux qui m'ont aidé à écrire cet ouvrage.
Je tiens à remercier tout particulièrement Clare et Rosalind,
Sebastian et Horatio, Jim Hindson (vétérinaire),
Albert Weeks, feu Wilfred Ellis et feu capitaine Budgett,
tous trois octogénaires de mon village d'Iddesleigh.

Michael Morpurgo

Note de l'auteur

Dans l'ancienne école qui sert aujourd'hui de mairie du village, sous l'horloge arrêtée depuis toujours à dix heures une, est accrochée une petite peinture empoussiérée. Il y a là un cheval, un magnifique bai roux. Une étoile blanche singulière est visible sur son front, un vrai blason ; et il a quatre balzanes[1] exactement assorties. L'air pensif, il regarde par le tableau, les oreilles pointées en avant, la tête tournée, comme s'il venait de remarquer que nous sommes plantés là.

Pour bien des gens qui lui accordent un coup d'œil négligent, lorsque, par exemple, la mairie est ouverte pour une séance du conseil municipal, pour le banquet de la moisson, ou quelque petite réunion en soirée, ce n'est là que la vieille peinture à l'huile d'un cheval inconnu, œuvre d'un peintre habile, mais anonyme.

---

1. Marque blanche au-dessus du sabot, s'étendant parfois jusqu'à hauteur du jarret. L'anglais, de façon pittoresque, dit « une chaussette blanche ».

Pour ceux-là, c'est un tableau si familier qu'il n'arrête guère l'attention. Mais d'autres, qui y regardent de plus près, peuvent lire sur la partie inférieure du cadre bronze, calligraphié à l'encre noire qui pâlit, ceci :

JOEY

PEINT PAR LE CAPITAINE JAMES NICHOLLS,

AUTOMNE 1914

Certains au village, bien peu nombreux aujourd'hui, et plus rares au fil des ans, se souviennent de Joey en son vivant. J'écris son histoire, en sorte qu'il ne soit pas oublié. Ni lui, ni ceux qui l'ont connu, ni cette guerre où ils ont vécu et où ils sont morts.

Chapitre 1

Mes plus anciens souvenirs sont un mélange confus de champs accidentés, d'écuries sombres, humides, et de rats qui cavalcadent sur les poutres au-dessus de ma tête. Mais je me rappelle assez bien le jour de la vente de chevaux : c'est une terreur qui m'a escorté toute ma vie. À peine âgé de six mois, j'étais un poulain efflanqué et tout en pattes, qui jamais ne s'était écarté de sa mère de plus de quelques mètres. Ce jour-là, dans l'horrible brouhaha de l'enceinte où avait lieu la vente aux enchères, on nous sépara et je ne devais jamais la revoir. C'était une belle jument de ferme, qui prenait de l'âge mais qui avait toute la force, toute l'endurance d'un irlandais de trait – manifestes chez elle dans l'avant-train comme dans l'arrière-train. Elle fut vendue en quelques minutes et, avant que j'aie pu la suivre au-delà des barrières, elle fut escamotée en un clin d'œil et emmenée loin de l'enceinte. Quant à moi, je ne sais pourquoi, il fut plus difficile de régler mon sort. À cause de ce regard affolé dans mes yeux, peut-être, tandis que je tournais en rond dans l'enceinte, cherchant ma mère désespérément ? Ou peut-être parce qu'aucun des fermiers et des gitans qui se trouvaient là ne s'intéressait à un poulain demi-sang qui avait l'air d'un échalas ? Bref, quelle qu'en fût la raison, ils passèrent beaucoup de temps à discuter de ce que je pouvais valoir : pas grand-chose. Finalement, j'entendis le marteau tomber et on me fit passer les barrières pour aller m'enfermer dans un enclos extérieur.

– Il est pas mal pour trois guinées, pas vrai ? Alors, on pète le feu, hein, petit ? Pas mal du tout.

La voix était bourrue et rendue pâteuse par l'alcool ; de toute évidence, c'était celle de mon propriétaire. Je ne l'appellerai pas mon maître : il n'y a qu'un seul homme qui ait jamais été mon maître. Mon propriétaire, donc, avait une corde à la main : il était en train d'escalader l'enclos, suivi de trois ou quatre de ses amis. Ils avaient la figure rouge et ils tenaient tous une corde. Ils avaient ôté leurs chapeaux et leurs vestes, ils avaient retroussé leurs manches. Tous riaient tandis qu'ils se dirigeaient vers moi. Pas un homme ne m'avait touché jusqu'à présent et je reculai à leur approche, jusqu'au moment où je sentis derrière moi les barres de l'enclos et ne pus aller plus loin. Apparemment, ils se ruèrent sur moi tous en même temps, mais ils étaient lents et je réussis à leur filer sous le nez. Arrivé au milieu de l'enclos, je me retournai et leur fis de nouveau face. À présent, ils ne riaient plus.

Je criai pour appeler ma mère et je l'entendis répondre, me faisant écho dans le lointain. Et moi, je fonçai vers cet appel, moitié chargeant la clôture, moitié la sautant, si bien que je m'y pris la patte antérieure droite en essayant de passer par-dessus et que je restai là, coincé. On m'empoigna brutalement par la crinière et par la queue, et je sentis une corde se resserrer autour de mon cou. Après quoi je fus jeté et maintenu à terre : il me semblait que j'avais des hommes assis partout sur moi. Je me débattis à en être exténué, leur décochant de furieux coups de pied chaque fois que je les sentais se relâcher, mais ils étaient trop nombreux, trop forts pour moi. Je sentis le licol glisser par-dessus ma tête et me serrer le cou et la figure.

– Alors, tu es un vrai bagarreur, toi, hein ? dit mon propriétaire, raccourcissant la corde et souriant les dents serrées. Les bagarreurs, ça me plaît, mais j'arriverai bien à te briser. Tu es un vrai petit coq de combat mais, en moins de deux, tu vas venir me manger dans la main.

On me traîna par les chemins, au cul d'une carriole, attaché court en sorte que chaque coude, chaque tournant me tiraillait l'encolure. Au moment où nous atteignîmes l'allée de la ferme, passant le pont dans un grand bruit de roues pour entrer dans la cour de l'écurie, j'étais en nage d'épuisement, et le frottement du licol m'avait mis la figure à vif. Ce premier soir, tandis qu'on me halait jusque dans l'écurie, ma seule consolation fut de savoir que je n'étais pas seul : la vieille jument qui, tout du long, avait tiré la carriole au retour du marché fut mise dans l'écurie à côté de la mienne. À l'instant d'y entrer, elle s'arrêta pour regarder par-dessus ma porte et hennit doucement. J'allais me risquer à m'avancer depuis le fond de mon écurie, quand mon nouveau propriétaire lui décocha sur le flanc un coup tellement méchant avec son manche de fouet que je battis en retraite et me recroquevillai dans le coin, contre le mur.

– Allons ! rentre donc, espèce de vieille carne ! braillat-il. Tu es une vraie garce, Zoey, et je veux pas que tu apprennes tes malices à ce jeunot.

Mais moi, en ce bref instant, j'avais perçu dans le regard de la vieille jument une gentillesse et une sympathie qui calmèrent ma panique et apaisèrent mon humeur.

On me laissa là, sans eau ni nourriture. Lui s'en fut en trébuchant sur les pavés, et après il monta les marches de la maison. Il y eut un bruit de portes qui claquaient, des éclats de voix, puis j'entendis des pas pressés dans la cour et des voix excitées qui s'approchaient. Deux têtes apparurent à ma porte : l'une d'elles était celle d'un jeune garçon qui me regarda longtemps en m'examinant soigneusement. Finalement, un sourire rayonnant s'étala sur son visage.

– Maman, dit-il, pesant ses mots, ça va être un brave cheval, un cheval formidable. Il est trempé jusqu'aux os, il faut que je le bouchonne.

– Mais ton père a dit de ne pas s'en occuper, Albert, dit la mère du gamin ; que ça lui fera du bien qu'on le laisse tranquille. Il t'a dit de ne pas y toucher.

– Maman, reprit Albert, repoussant les verrous de la porte de l'écurie, quand le père est saoul, il ne sait pas ce qu'il raconte ou ce qu'il fait. Les jours de marché, il est régulièrement saoul. Tu m'as assez souvent dit de ne pas faire attention à lui quand il est comme ça. Toi, maman, donne à manger à la Zoey pendant que je m'occupe de lui. Oh ! tu trouves pas qu'il est chouette, maman ? Il est presque roux, bai roux, on pourrait dire, non ? Et cette étoile, sur son front ! Elle est parfaite ! Tu as déjà vu un cheval avec une étoile blanche comme ça ? Je le monterai, ce cheval, quand il sera au point. Je le monterai et il n'y aura pas un cheval qui le vaudra dans tout le village, ni dans tout le comté !

De l'écurie à côté, sa mère lui dit :

– Tu as tout juste treize ans, Albert. Il est trop jeune, et toi aussi tu es trop jeune. De toute manière, ton père dit que tu ne dois pas le toucher. Alors, tu ne viendras pas te plaindre à moi s'il te trouve ici.

– Mais, maman, pourquoi, bon sang, est-ce qu'il l'a acheté, alors ? demanda Albert. C'est d'un veau qu'on avait besoin, non ? C'est pour ça qu'il est allé au marché, non ? Un veau. Pour téter la Célandine, non ?

– Je sais, mon grand : ton père n'est pas dans son état normal quand il est comme ça, dit doucement sa mère.

Il dit que Easton, le fermier, avait fait une enchère pour ce cheval; tu sais ce qu'il pense de ce type depuis cette entourloupette pour la clôture. Je croirais assez qu'il l'a acheté rien que pour en empêcher l'autre. En tout cas, c'est comme ça que je vois la chose.

– Eh bien! moi, maman, ça me fait plaisir, dit Albert, en venant lentement vers moi tout en ôtant sa veste. Saoul ou pas, il a jamais rien fait de mieux!

– Albert, ne parle pas comme ça de ton père. Ce n'est pas bien.

Mais ses paroles manquaient de conviction.

Albert était à peu près aussi grand que moi. Il parlait si doucement en s'approchant que je fus immédiatement rassuré – et passablement intrigué. Je restai donc à l'endroit où j'étais, contre le mur. Quand il me toucha, je fis un bond, mais je vis tout de suite qu'il ne me voulait pas de mal. Il commença par me flatter le dos, puis l'encolure, tout en ne cessant de me parler; qu'on allait bien s'amuser ensemble, qu'en grandissant j'allais être le plus fameux cheval du monde entier et qu'on irait à la chasse tous les deux. Au bout d'un petit moment il se mit à me frotter doucement avec sa veste. Il me frotta jusqu'à ce que je sois sec; ensuite, il me tamponna la figure d'eau salée, là où la peau avait été entamée par le frottement. Il apporta du foin nouveau et un plein seau d'eau fraîche. Je ne crois pas qu'il se soit jamais arrêté de parler pendant tout ce temps-là. Comme il se préparait à sortir de

l'écurie je l'appelai pour le remercier ; il parut me comprendre car il fit un grand sourire et me caressa le nez.
– On va bien s'entendre, toi et moi, fit-il gentiment. Je t'appellerai Joey, simplement parce que ça rime avec Zoey et puis peut-être aussi, oui peut-être aussi parce que ça te va bien. Je reviendrai demain matin et, ne t'en fais pas, c'est moi qui m'occuperai de toi. Je te le promets. Fais de beaux rêves, Joey.
– Il ne faut jamais parler aux chevaux, Albert, lui dit sa mère, du dehors. Ils ne vous comprennent jamais. Ce sont des animaux stupides. Entêtés et stupides, à ce que dit ton père. Et les chevaux il les connaît depuis qu'il est né.
– C'est seulement qu'il les comprend pas, répondit Albert, et je crois bien qu'il en a peur.
J'allai jusqu'à la porte regarder Albert et sa mère qui s'éloignaient et remontaient dans le noir. Alors je sus que j'avais trouvé un ami pour la vie et qu'il y avait entre nous un lien instinctif, immédiat de confiance et d'affection. À côté de moi la vieille Zoey se pencha par sa porte pour essayer de me toucher, mais nos nez n'arrivèrent pas tout à fait à se rejoindre.

Chapitre 2

Au fil des rudes et longs hivers et des brumes de chaleur des étés, Albert et moi grandîmes ensemble. Poulain d'un an et jeune gars ont davantage en commun que leur gaucherie dégingandée. Quand il n'était pas à l'école au village ou parti travailler dans la ferme avec son père, il m'emmenait à travers champs, et nous descendions jusqu'au marais au bord de la Torridge. Celui-ci était plat et envahi par les chardons, mais c'était le seul terrain horizontal de toute la ferme. Albert commença mon entraînement, d'abord en me faisant simplement aller au pas, puis trotter dans tous les sens. Plus tard, il me fit travailler à la longe, dans un sens, puis dans l'autre. Quand on rentrait à la ferme, il me laissait suivre à mon allure normale. J'appris à venir à son coup de sifflet, non par soumission, mais parce que j'avais toujours envie d'être près de lui. Il imitait l'appel bégayant du hibou, son coup de sifflet. Jamais je ne m'y dérobai : c'était un appel que je ne devais jamais oublier.

La vieille Zoey, ma seule autre compagnie, était souvent partie toute la journée : elle labourait, elle hersait, elle défonçait et retournait les terres ; si bien que je demeurais seul une bonne partie du temps. L'été, si j'étais aux champs, c'était supportable parce que je pouvais l'entendre travailler et l'appeler de temps à autre, mais en hiver, parqué dans la solitude de l'écurie, il m'arrivait de passer la journée entière sans voir ni entendre âme qui vive. Sauf quand Albert venait me voir.

Comme il l'avait promis, c'était lui qui prenait soin de moi et il faisait tout son possible pour me protéger de son père ; d'ailleurs, celui-ci ne se révéla pas être le monstre auquel je m'attendais. La plupart du temps, il m'ignorait et, si d'aventure il m'examinait en détail, c'était toujours de loin. De temps en temps même, il savait être tout à fait amical, mais je n'arrivais jamais à lui faire vraiment confiance. Non, pas après notre première rencontre. Jamais je ne le laissais approcher de trop près ; toujours je faisais un écart et filais à l'autre bout du champ, en mettant la vieille Zoey entre lui et moi. Toutefois, comme chaque mardi on pouvait compter sans faute sur le père d'Albert pour qu'il se saoule, au moment de son retour, mon ami trouvait souvent un prétexte pour être avec moi et s'assurer ainsi que son père ne m'approche jamais.

Un soir d'automne, un mardi précisément, environ deux ans après mon arrivée à la ferme, Albert se trouvait en haut de l'église du village. Il était en train de sonner les cloches. Par précaution, il m'avait mis à l'écurie avec la vieille Zoey, comme toujours le mardi soir.

– Vous serez plus en sûreté ensemble. Le père ne viendra pas vous embêter, pas si vous êtes tous les deux, disait-il.

Puis, il se penchait par la porte de l'écurie et nous faisait des laïus : que c'était compliqué de sonner les cloches ; qu'on l'avait chargé de la grosse cloche ténor, parce qu'on pensait qu'il était déjà suffisamment homme pour l'actionner et que, avant longtemps, il serait le gars le plus costaud du village. Il était fier, mon Albert, de ses prouesses de sonneur. Zoey et moi, installés tête-bêche dans l'écurie que gagnait la nuit, bercés par les six cloches, là-bas dans l'église, qui sonnaient à toute volée par les champs obscurcis, nous étions sûrs qu'il avait toute raison d'être fier. Cette musique des cloches est la plus admirable : chacun peut y prendre part. Il suffit d'écouter.

J'avais dû dormir debout, car je ne me rappelle pas l'avoir entendu approcher ; or, tout à coup, il y eut la lueur dansante d'une lanterne à la porte de l'écurie, et les verrous furent repoussés. Je pensai d'abord que c'était peut-être Albert, mais les cloches sonnaient toujours, et j'entendis ensuite cette voix qui était sans erreur possible celle de son père le mardi soir après le marché. Il éleva la lanterne au-dessus de la porte et vint vers moi. Dans sa main, il y avait une badine flexible et il venait vers moi en titubant de par l'écurie.

– Bien, mon petit démon, mon petit fiérot, dit-il, sans déguiser le moins du monde la menace dans sa voix. On m'a parié que je n'arriverais pas à te faire tirer une charrue dans la semaine. Easton, le fermier et tous les autres, là-bas au Roi George, sont persuadés que je ne pourrai pas te tenir en main. Mais je vais leur montrer, moi. Tu as été assez chouchouté comme ça ; il est temps de gagner ton picotin. Ce soir, je vais t'essayer plusieurs colliers, en trouver un qui te va et, demain, on commence à labourer. Ça peut se passer en douceur ou méchamment. Si tu me donnes du fil à retordre, je te fouette jusqu'au sang.

La vieille Zoey pressentait assez bien son humeur ; elle hennit pour me mettre en garde et recula dans les profondeurs obscures de l'écurie, mais elle n'avait pas besoin de m'avertir, car je devinai son intention. Un seul regard sur la badine brandie et, dans ma frayeur, mon cœur se mit à cogner follement. J'étais terrifié : je savais que je ne pouvais pas me sauver, car je n'avais nulle part où aller. Alors, me présentant à lui de dos, je lançai une ruade et je sentis que mes sabots mettaient en plein dans le mille. J'entendis un hurlement de douleur ; je me retournai et je le vis qui sortait très, très lentement par la porte : il traînait la jambe, elle était toute raide et il marmonnait des paroles de cruelle vengeance.

Le lendemain matin, Albert et son père s'en vinrent tous les deux à l'écurie. Le père boitait très fort. Chacun d'eux transportait un collier et je vis qu'Albert avait pleuré, car il y avait des traces de larmes sur ses joues pâles. Ils étaient tous les deux devant la porte de l'écurie et je remarquai avec une fierté infinie que mon Albert était déjà plus grand que son père, dont les traits étaient tirés et marqués par la souffrance.

– Hier soir, si ta mère ne m'avait pas supplié, Albert, je l'aurais abattu sur-le-champ, ce cheval. Il aurait pu me tuer. En tout cas, je t'avertis : si cette bête n'est pas capable, d'ici à huit jours, de tracer un sillon droit comme un trait, il sera vendu. Ça, je te le garantis. Tout dépend de toi. Tu dis que tu en fais ton affaire ; bon, je te donne une chance – une seule. Moi, il ne veut pas que je l'approche. Il est fou, il est vicieux. Si, toi, tu te charges de l'apprivoiser et de le dresser d'ici à huit jours, parfait. Sinon, il part. Tu comprends ? Il faut qu'il apprenne à gagner sa nourriture, ce cheval, comme tout le monde par ici. Qu'il en mette plein la vue, ça, je m'en fiche ! Ce qu'il faut, c'est qu'il apprenne à travailler. Et aussi, autre chose que je te jure, Albert : si je dois perdre ce pari, ce cheval, hop ! dehors.

Il laissa tomber le collier par terre, fit brusquement demi-tour et s'en fut.

– Papa, dit Albert d'une voix résolue, je vais dresser Joey ; je vais bien le former au labour, mais il faut que tu me promettes de ne plus lever le fouet sur lui. C'est impossible de le prendre en main de cette façon-là. Je le connais, papa. Je le connais comme si c'était mon frère.

– Dresse-le, Albert, prends-le en main. Tu te débrouilles comme tu veux, ça m'est égal. Je ne veux pas le savoir, dit son père en coupant court. Je l'approche plus, moi, cette brute ! Plutôt l'abattre d'abord !

Mais, quand Albert entra dans l'écurie, ce ne fut pas pour m'apaiser comme il le faisait généralement, ni pour me parler avec douceur. Non, il se dirigea vers moi et me regarda dans les yeux d'un air dur.

– Tu as été diablement stupide, me dit-il sévèrement. Si tu tiens à vivre vieux, Joey, tu as beaucoup à apprendre. Tu ne dois plus jamais donner de coups de pied à personne. Le père, il parle sérieusement, Joey. S'il n'y avait pas eu ma mère, il t'aurait bel et bien tué d'un coup de fusil. C'est maman qui t'a sauvé. Moi, il n'a pas voulu m'écouter et il ne m'écoutera pas. Alors, Joey, plus de ça. Jamais.

À ce moment-là, sa voix changea, et il parla d'une façon qui lui ressemblait davantage.

– On n'a qu'une semaine, Joey, une seule, pour te mettre au labour. Je sais bien : avec tout ce qu'il y a en toi du pur-sang, tu penses peut-être que c'est au-dessous de ta condition ; pourtant c'est ce que tu vas devoir faire. Moi et la vieille Zoey on va t'apprendre, et ça va être un drôle de boulot. Ça va être plus dur encore pour toi, parce que t'es pas tout à fait au point pour ça, tu fais pas encore le poids. Et quand ce sera terminé, tu ne m'aimeras pas beaucoup, Joey. Mais, le père, il ne plaisante pas. C'est un homme de parole. Une fois qu'il a décidé, c'est réglé. Plutôt que de perdre son pari, il aimerait mieux te vendre ou même te tuer, tu peux en être sûr.

Ce même matin, alors que le brouillard traînait encore au ras des champs, attelé côte à côte avec cette bonne vieille Zoey, un collier flottant autour de mes épaules, je fus conduit au Pré-Long où commença mon dressage de cheval de ferme. Au premier mouvement de traction que nous fîmes en même temps, le collier me râpa la peau et sous l'effort mes pieds s'enfoncèrent profondément dans la terre meuble. Derrière, Albert criait presque sans désemparer jouant du fouet dans ma direction chaque fois que j'hésitais ou déviais de la ligne droite, chaque fois qu'il sentait que je ne donnais pas tout ce que je pouvais, car il s'en rendait bien compte ! C'était un autre Albert. Finies les paroles douces et les gentillesses d'auparavant. Il y avait dans sa voix une dureté, une sécheresse qui n'admettaient pas le refus de ma part. À côté de moi, la Zoey se penchait dans son collier et tirait en silence, la tête baissée, plantant ses sabots dans la terre. Pour elle, pour moi, pour Albert aussi, je pesai de tout mon poids sur mon collier et me mis à tirer. Au cours de cette semaine-là, j'allais apprendre les rudiments du labour, comme un cheval de ferme. À tant faire d'efforts, j'avais mal à tous les muscles mais, après avoir passé une bonne nuit de repos, bien allongé dans l'écurie, j'étais de nouveau frais et dispos pour le travail du lendemain matin.

Comme je faisais des progrès tous les jours et que nous commencions à labourer davantage de concert, Zoey et moi, Albert employait de moins en moins le fouet et recommençait à me parler plus gentiment. Finalement, au bout de la semaine, je fus certain que j'avais presque regagné son affection. Et puis, un après-midi, après avoir terminé la langue de terre à proximité du Pré-Long, il détacha la charrue, passa un bras autour de chacun de nous et dit :

– À présent, c'est parfait. Vous avez réussi, mes beaux. Vous avez réussi. Je ne vous l'ai pas dit, parce que je ne voulais pas vous perturber, mais papa et Easton vous ont observés depuis la maison, cet après-midi.

Il me gratta derrière l'oreille et me flatta le nez.

– Papa a gagné son pari et, au petit déjeuner, il m'a dit que si on terminait le champ aujourd'hui, il oublierait l'incident et que tu pourrais rester, Joey. Donc, tu as réussi, mon beau, et je suis si fier de toi que je t'embrasserais bien, espèce d'idiot, mais je le ferai pas, non, pas avec eux qui nous regardent. Il va te garder à présent, j'en suis sûr. Il n'a qu'une parole, mon père, tu peux en être sûr – aussi longtemps qu'il n'a pas bu.

Ce fut quelques mois plus tard, alors qu'on rentrait

après avoir fauché le foin dans le Grand-Pré, en suivant le chemin creux et feuillu qui menait à la cour de la ferme, qu'Albert nous parla pour la première fois de la guerre. Il s'arrêta de siffler au milieu de sa ritournelle et déclara d'un air triste :

– Maman dit que, probablement, il va y avoir la guerre. Je ne sais pas à cause de quoi : quelque chose au sujet d'une espèce de duc qui s'est fait tirer dessus, à un endroit ou à un autre. Je ne vois pas pourquoi ça devrait concerner qui que ce soit mais elle dit qu'on sera dans le coup tout de même. Nous autres, ça ne nous touchera pas. Non, pas dans ce coin. Pour nous, il n'y aura rien de changé. De toute façon, à quinze ans, je suis trop jeune pour partir, enfin c'est ce qu'elle a dit. Mais je te le dis, Joey, moi, s'il y a la guerre, je voudrais y aller. Je crois que je ferais un bon soldat, tu trouves pas ? Que je serais chouette en uniforme, non ? Et j'ai toujours voulu défiler au son d'une musique militaire. Tu imagines, Joey ? Et toi, au fait, tu ferais un bon cheval de bataille, pas vrai ? Si tu te laisses monter aussi bien que tu tires – et je suis sûr que oui. On ferait une fameuse paire, nous deux, et gare aux Allemands si jamais ils doivent se battre contre nous !

Par une brûlante soirée d'été, après une longue journée poussiéreuse, j'étais plongé dans mon picotin d'avoine ; Albert me pansait avec un bouchon de paille et il n'arrêtait pas de bavarder sur l'abondance de bonne paille qu'on allait avoir pour les mois d'hiver, et comme la paille de blé serait bonne pour les couvertures en chaume qu'ils allaient refaire, lorsque j'entendis le pas lourd du père qui traversait la cour et se dirigeait vers nous.

– La mère ! criait-il. La mère ! Viens, la mère !

C'était sa voix normale, sa voix quand il était à jeun, une voix qui ne m'inspirait pas la peur.

– C'est la guerre, la mère. Je viens de l'apprendre au village. Le facteur est passé cet après-midi avec la nouvelle. Ces saligauds sont entrés en Belgique. C'est tout ce qu'il y a de plus sûr, à présent. Nous avons déclaré la guerre à onze heures hier. On est en guerre contre les Allemands. On va leur flanquer une telle raclée qu'après ça ils n'oseront plus lever le poing sur personne. Tout sera fini en quelques mois. C'est toujours la même chose : suffit que le lion britannique dorme, ils croient qu'il est mort. Mais on va leur faire voir, tu sais, la mère ! On va leur donner une leçon qu'ils ne seront pas près d'oublier.

Albert s'était arrêté de me bouchonner, il avait laissé tomber sa paille par terre. Nous nous dirigeâmes vers la porte de l'écurie. La mère d'Albert se tenait sur les marches, près de la porte de la maison.

Elle avait mis la main sur sa bouche :

– Oh, mon Dieu ! répétait-elle d'une voix douce. Oh, mon Dieu !

Chapitre 3

Progressivement, au cours de ce dernier été à la ferme, si progressivement que je l'avais à peine remarqué, Albert avait commencé à me monter, parcourant les terres pour vérifier le compte des moutons. La Zoey me suivait d'un peu loin, et je m'arrêtais de temps en temps pour m'assurer qu'elle était toujours avec nous. Je ne me rappelle même pas la première fois où il me mit la selle ; c'est pourtant ce qu'il avait dû faire à un moment ou à un autre, parce que lorsque la guerre fut déclarée cet été-là, Albert me montait tous les matins pour aller aux moutons et presque chaque soir après le travail. J'en arrivai à connaître chaque chemin de la commune, chaque chêne qui bruissait, chaque barrière qui battait. En pataugeant dans l'eau, nous traversions le ruisseau qui passe en bas de Taillis-d'Innocent, pour remonter à grand fracas le Champ-aux-Fougères de l'autre côté. Quand Albert me montait, pas de crispation sur les rênes, pas de secousse au mors dans ma bouche, mais toujours une douce pression des genoux : il suffisait qu'il me touche des talons pour me dire ce qu'il voulait de moi. Je crois même qu'il aurait pu s'en passer, tant nous en venions à bien nous comprendre. Quand il n'était pas en train de me parler, il sifflait ou chantait tout le temps. Je ne sais pourquoi, mais il me semblait que cela me rassurait.

Au début, la guerre nous toucha peu, à la ferme. Il y avait encore de la paille à retourner et à engranger ; aussi, tous les matins de bonne heure, on nous emmenait travailler aux champs, la Zoey et moi. À notre grand soulagement, c'est Albert qui avait pris en main la plus grande partie du travail avec les chevaux. Il laissait son père s'occuper des porcs et des bœufs, jeter un œil sur les moutons, réparer les clôtures et creuser les fossés autour de la ferme. Si bien que nous ne le voyions guère que quelques minutes par jour. Cependant, en dépit de ce train-train normal, il y avait une tension croissante à la ferme et je commençai à éprouver une espèce de pressentiment intense. Dans la cour avaient lieu de longues discussions animées ; quelquefois entre le père et la mère d'Albert, mais, assez curieusement, plus fréquentes entre Albert et sa mère.

– Tu ne dois pas le lui reprocher, Albert, lui dit cette dernière un matin, devant la porte de l'écurie, s'en prenant à lui avec colère. Quand lord Denton a proposé de lui vendre la ferme, il y a dix ans, il a pris une hypothèque pour que tu aies une ferme à toi quand tu seras grand. C'est l'hypothèque qui le ronge, c'est ça qui le fait boire.

Alors, si de temps à autre il n'est pas lui-même, tu n'as pas le droit de râler contre lui. Et il ne se porte pas aussi bien qu'avant; il ne peut plus faire autant de travail qu'auparavant dans la ferme. Il a plus de cinquante ans, tu sais – les enfants, ça ne se demande jamais si leur père est jeune ou s'il est vieux. Et puis, c'est à cause de la guerre aussi, Albert. Ça le tourmente, la guerre. Il appréhende que les prix tombent; et je crois aussi que, tout au fond du cœur, il se dit qu'il devrait être en train de se battre en France, mais il est trop vieux pour ça. Il faut essayer de le comprendre, Albert; il mérite au moins ça.

– Toi, maman, tu ne bois pas, répliqua Albert avec véhémence. Et pourtant, tu as des soucis, tout comme lui. De toute façon, même si tu buvais, tu ne me tomberais pas dessus comme il le fait, lui. Je travaille autant que je peux et même plus; malgré ça, lui n'arrête jamais de se plaindre que ceci ou que cela n'est pas fait. Il se plaint chaque fois que je sors Joey le soir. Il ne veut même pas que j'aille sonner les cloches une fois par semaine. Ça n'a pas de sens, maman.

– Je sais, reprit sa mère avec plus de douceur à présent, et elle prit la main d'Albert dans les siennes; mais il faut que tu tâches de voir ce qu'il y a de bon en lui. C'est un homme bon. Vraiment. Tu ne perds pas de vue ses bons côtés, hein ?

– Mais non, maman, acquiesça Albert, je ne les perds pas de vue, ses bons côtés. Si seulement il cessait de râler contre Joey comme ça. Après tout, Joey travaille pour gagner sa nourriture maintenant, et il faut qu'il ait le temps de s'amuser tout comme moi !

– Bien sûr, mon chéri.

Et le prenant par le coude elle le guida vers la maison.

– Mais tu sais bien comment il réagit à propos de Joey, non ? Il l'a acheté sur un coup de rancune et, depuis, il n'arrête pas de le regretter. Comme il dit, on n'a besoin que d'un seul cheval pour les travaux de la ferme, en réalité. Et ton cheval, il coûte. C'est ça qui le tracasse. Les fermiers et les chevaux, c'est toujours la même histoire. Mon père aussi était pareil. Mais il s'adoucira, ton père, si tu es un peu gentil avec lui. Je le sais, moi.

Mais Albert et son père ne se parlaient pratiquement plus à présent. L'un comme l'autre, ils se servaient de plus en plus de la mère comme intermédiaire et pour les négociations. Ce fut un mercredi matin, alors que la guerre n'était vieille que de quelques semaines, qu'une fois de plus elle dut servir d'arbitre entre eux, là, dehors dans la cour. Comme à son habitude, le père était rentré saoul du marché, la veille au soir. Il déclara qu'il avait oublié de ramener chez les Saddleback le verrat qu'on leur avait emprunté pour servir les truies. Il avait demandé à Albert de le faire à sa place. Albert avait protesté vigoureusement : une dispute se préparait. Le père disait qu'il avait « des choses à faire », et Albert rétorquait qu'il avait les écuries à nettoyer.

– Ça ne te prendra même pas une demi-heure, mon chéri, de descendre le verrat dans la vallée jusqu'à Fursden, dit promptement la mère, s'efforçant d'empêcher l'inévitable.

– Bon, d'accord.

Albert céda, comme toujours lorsque sa mère intervenait, car il avait horreur de lui faire de la peine.

– Pour toi, je vais le faire, maman, mais à une condition : que je puisse sortir Joey ce soir. L'hiver prochain, je veux chasser avec lui ; il faut que je le mette en forme.

Le père d'Albert demeura silencieux, les lèvres pincées, et je remarquai qu'il avait les yeux fixés sur moi. Albert se détourna, me tapota doucement le nez, prit un bâton sur la pile de bois d'allumage dressée contre le bûcher et se dirigea vers la porcherie. Quelques minutes plus tard, je le vis mener le grand verrat noir et blanc sur le sentier de la ferme conduisant au chemin. Je l'appelai, mais il ne se retourna pas.

À présent, si par exception le père d'Albert entrait dans l'écurie, c'était toujours pour sortir la Zoey. Une fois dans la cour, il lui mettait une selle sur le dos et s'en allait jusqu'aux collines au-dessus de la maison pour jeter un coup d'œil sur les moutons. Aussi, ça n'avait rien de particulier, ce matin-là, quand il entra dans l'écurie pour faire sortir Zoey. Mais quand après ça il revint dans l'écurie, qu'il se fit tout sucre et tout miel en me parlant et qu'il me présenta un seau d'avoine qui sentait bon, je me fis aussitôt méfiant. Mais tant cette avoine que ma curiosité eurent raison de ma jugeote et, avant que j'aie pu me dérober, il me passa un licol sur la tête. Cependant, sa voix était inhabituellement douce et gentille tandis qu'il resserrait le licol et avançait lentement la main pour me flatter l'encolure.

– Tout ira bien pour toi, mon petit gars, murmura-t-il. Tout ira bien. Ils s'occuperont de toi : ils me l'ont promis, et j'ai besoin de cet argent, Joey. J'en ai salement besoin.

Chapitre 4

Il attacha une longue corde à mon licol et me fit sortir de l'écurie. Je le suivis parce que, dehors, il y avait Zoey. Elle me regardait par-dessus son épaule. Moi, j'étais toujours content de m'en aller n'importe où, avec n'importe qui, du moment qu'elle était avec moi. Pendant ce temps-là, je remarquai que le père d'Albert murmurait à voix basse et regardait autour de lui comme un voleur.

Il devait savoir que je suivrais la Zoey, car il m'attacha à sa selle et nous mena sans faire de bruit hors de la cour. Puis, il nous fit descendre le sentier et traverser le pont. Une fois sur le chemin, il enfourcha promptement Zoey ; nous montâmes la côte au trot et entrâmes dans le village. Il ne nous dit pas un mot. Naturellement, je connaissais plutôt bien la route, car j'y avais été assez souvent avec Albert. À dire vrai, il adorait aller au village, parce qu'on y rencontrait toujours d'autres chevaux et qu'on y voyait des gens. C'était là, au village, que peu de temps auparavant j'avais croisé ma première automobile devant la poste : je m'étais raidi de frayeur quand elle était passée devant moi dans son tintamarre, mais je n'avais pas bronché, et je me rappelle qu'après Albert avait fait tout un plat à mon sujet. Mais aujourd'hui, comme nous approchions du village, c'étaient plusieurs automobiles que je voyais garées autour du champ de foire et un grand rassemblement d'hommes et de chevaux comme je n'en avais jamais vu. Tout excité que j'étais, je me rappelle qu'une profonde appréhension m'envahit lorsque nous entrâmes au trot dans le village.

Partout, des hommes en uniforme kaki et puis, au moment où le père d'Albert mettait pied à terre et nous faisait passer devant l'église pour aller au champ de foire, une musique militaire attaqua une marche entraînante et scandée. Les pulsations de la grosse caisse retentissaient par le village ; il y avait des enfants partout : certains marchaient au pas dans toutes les directions, un manche à balai sur l'épaule, d'autres se penchaient aux fenêtres en agitant des drapeaux.

Comme nous approchions du milieu du champ de foire où pendait mollement, le long de son mât blanc, un drapeau britannique, un officier fendit la foule et s'avança vers nous. Il était grand, élégant aussi avec sa culotte de cheval et son ceinturon. Il portait une épée d'argent au côté. L'officier serra la main du père d'Albert :

– Je vous avais dit que je viendrais, capitaine Nicholls…

mon capitaine, dit le père. C'est que j'ai besoin d'argent, vous comprenez. Je ne me déferais pas d'un cheval pareil, si je n'étais pas obligé.

– Très très bien, mon ami, dit l'officier d'un air approbateur, tout en m'examinant. J'avais pensé que vous exagériez quand nous avons bavardé hier soir au Roi George. Vous me disiez : « C'est le plus beau cheval de la commune », mais tout le monde dit ça. Je vois bien que celui-ci, c'est autre chose.

Il me flatta doucement l'encolure et me gratta derrière les oreilles. Sa main, comme sa voix, était bienveillante.

– Vous avez raison, mon ami : il ferait une belle monture dans n'importe quel régiment et nous serions fiers de l'avoir. Ça ne me déplairait pas de m'en servir pour mon usage personnel. S'il tient les promesses qu'annonce son apparence, il me conviendrait assez. Pas de doute : c'est une belle bête.

– Vous m'en donnerez quarante livres, capitaine Nicholls ? Comme vous me l'avez promis hier ? demanda le père d'Albert, en baissant la voix de façon anormale, presque comme s'il voulait que personne d'autre ne l'entende. Je ne peux pas le lâcher pour un penny de moins, il faut bien vivre.

– C'est la somme que je vous ai promise hier soir, mon ami, répondit le capitaine.

Il m'ouvrit la bouche pour m'examiner les dents.

– C'est un beau cheval, encolure solide, bonne chute

d'épaules, canons bien droits. Il a beaucoup travaillé, non ? Vous l'avez déjà fait sortir à la chasse ?

– Mon fils le monte tous les jours ; il me dit qu'il va comme un cheval de course et qu'il saute comme pour la chasse à courre.

– Bon, dit l'officier. Du moment que notre vétérinaire le déclarera apte, poumons et membres en bon état, vous aurez vos quarante livres comme convenu.

– Je ne peux pas m'attarder, reprit le père d'Albert.

Il jeta un coup d'œil par-dessus son épaule.

– Il faut que je rentre : j'ai mon travail à faire.

– C'est que nous sommes occupés à recruter dans le village, en même temps que nous achetons des chevaux. Mais, pour vous, nous allons faire aussi vite que nous pouvons. À vrai dire, il y a beaucoup plus de volontaires aptes au service, dans la région, que de bons chevaux – et ce n'est pas le travail du vétérinaire d'examiner les hommes, pas vrai ? Attendez-moi ici, je n'en ai que pour quelques minutes.

Le capitaine Nicholls m'emmena par un passage voûté et me fit entrer dans un jardin où se trouvaient des hommes en blanc et un secrétaire en uniforme. Assis à une table, il prenait des notes. Il me sembla entendre cette bonne vieille Zoey qui m'appelait ; je hennis en réponse pour la rassurer. En effet, je n'avais pas du tout peur, à ce moment-là : j'étais trop intéressé par ce qui se passait autour de moi. L'officier me parla avec douceur quand nous nous mîmes en route, si bien que c'est presque avec impatience que j'avançai. Le vétérinaire, petit bonhomme agité, avec une moustache noire en broussaille, me toucha un peu partout avec un truc pointu, souleva mes pieds l'un après l'autre pour les examiner – ce qui me déplut –, et ensuite me scruta les yeux et la bouche en reniflant mon haleine. Après quoi on me fit trotter encore et encore autour du jardin. Il déclara finalement que j'étais un « spécimen parfait ». « Frais comme un gardon. Apte à la cavalerie comme à l'artillerie. » Voilà les mots qu'il employa.

– Pas de tumeur au canon ni au jarret. Les dents et les pieds parfaits. Achetez-le, capitaine, celui-là, c'est un bon.

On me reconduisit auprès du père d'Albert qui prit les billets que lui tendait le capitaine Nicholls et les fourra vivement dans la poche de son pantalon.

– Vous vous occuperez de lui, mon capitaine ? Vous veillerez à ce qu'il ne lui arrive rien ? Vous voyez, mon fils l'aime beaucoup.

Il étendit la main, me caressa le nez. Et, à ce moment-là, il devint presque un homme que j'aurais pu aimer.

– Tout ira bien, mon petit père, me chuchota-t-il. Tu ne vas rien comprendre et Albert non plus, mais si je ne te vends pas, je ne pourrai pas payer l'hypothèque et on perdra la ferme. Je ne t'ai pas bien traité ; c'est tout le monde que je n'ai pas bien traité, je sais. Et je le regrette.

Ensuite, il me quitta, emmenant Zoey derrière lui. Il s'en allait, la tête courbée et, tout d'un coup, il semblait avoir rapetissé. Alors seulement, je me rendis pleinement compte que l'on m'abandonnait. Je me mis à hennir, un hennissement aigu de douleur et d'angoisse qui retentit dans tout le village. Même Zoey, pourtant si docile et placide d'habitude, s'arrêta. Le père d'Albert avait beau la tirer, elle ne voulait plus bouger. Elle se retourna en redressant la tête et poussa son cri d'adieu. Mais ses cris faiblirent, elle fut entraînée finalement, et elle disparut. Des mains affectueuses tâchaient de m'apaiser, de me consoler, mais moi j'étais inconsolable.

J'avais à peu près abandonné tout espoir, quand je vis mon Albert arriver en courant vers moi, au milieu de la foule, tout rouge de s'être tant démené.

– Il l'a vendu, pas vrai ? dit-il posément. C'est mon cheval, Joey ; il est à moi, il sera toujours à moi, peu importe qui l'a acheté. Je ne peux pas empêcher mon père de le vendre mais, si Joey part avec vous, je pars aussi. Je veux m'engager et rester avec lui.

– Vous avez l'état d'esprit qu'il faut pour être soldat, jeune homme, dit l'officier.

Il ôta son képi et s'essuya le front du revers de la main ; il avait des cheveux noirs bouclés, un air bon, un visage ouvert.

– Vous avez l'état d'esprit qu'il faut, mais vous n'avez pas l'âge. Vous êtes trop jeune, et vous le savez bien. Dix-sept ans – nous ne prenons pas plus jeune. Revenez dans un an ou deux; alors, nous verrons.

– Mais je parais dix-sept ans, dit Albert, presque suppliant. Je suis plus grand que la plupart des garçons de dix-sept ans.

Tout en parlant, il voyait bien que cela ne le menait nulle part.

– Alors, vous ne voulez pas me prendre, monsieur? Pas même comme garçon d'écurie? Je suis prêt à faire n'importe quoi. N'importe quoi.

– Comment vous appelez-vous? demanda le capitaine Nicholls.

– Narracott, monsieur. Albert Narracott.

– Eh bien, monsieur Narracott, je suis désolé de ne pas pouvoir vous aider.

L'officier hocha la tête et remit son képi.

– Désolé, jeune homme, c'est le règlement. Mais ne vous en faites pas pour votre Joey, j'en prendrai grand soin jusqu'à ce que vous soyez en mesure de rejoindre nos rangs. Vous avez fait un joli travail avec ce cheval; vous pouvez être fier de lui. C'est une très très belle bête, mais votre père avait besoin de cet argent pour la ferme. Sans argent, une ferme ne peut pas fonctionner, vous devez le savoir. Votre état d'esprit me plaît : quand vous aurez l'âge, il faudra que vous soyez volontaire pour la cavalerie. On va avoir besoin d'hommes comme vous ; la guerre va être longue, j'en ai peur, plus longue que les gens ne croient. Je suis le capitaine Nicholls. Vous mentionnerez mon nom : je serai fier de vous avoir chez nous.

– Alors, il n'y a pas moyen ? demanda Albert. Rien à faire ?

– Rien. À présent, votre cheval est propriété de l'armée et vous êtes trop jeune pour partir sous les drapeaux. Mais ne vous en faites pas, on en prendra soin de votre cheval. Je m'en occuperai personnellement. Promis.

Albert me tortilla le nez, comme il le faisait souvent, et il me caressa les oreilles. Il s'efforçait de sourire, mais il n'y parvenait pas.

– Je te retrouverai, vieil idiot, dit-il doucement. Je te retrouverai, qu'importe où tu seras, Joey. Prenez grand soin de lui, monsieur, en attendant que je le retrouve. Un cheval pareil, il n'y en a pas deux au monde. Dites-moi que vous le promettez.

– Je le promets, répondit le capitaine Nicholls. Je ferai tout mon possible.

Puis, Albert se détourna. Il se perdit dans la foule et je ne le vis plus.

Chapitre 5

Durant les quatre courtes semaines qui précédèrent mon départ à la guerre, de cheval de ferme que j'avais été, j'allais devenir monture de cavalerie. Ce ne fut pas là changement facile, car j'étais profondément rétif à la stricte discipline du manège et aux heures pénibles et brûlantes sur le champ de manœuvres. Là-bas, par chez nous, Albert et moi nous étions régalés de nos longues courses au long des chemins et à travers champs ; la chaleur et les mouches semblaient sans importance alors. J'aimais ces journées éreintantes, à la charrue ou à la herse, côte à côte avec Zoey. Cela parce qu'il y avait entre nous un lien de confiance et de ferveur. Aujourd'hui, c'étaient des heures interminables et fastidieuses où je tournais en rond dans le manège. Fini, le petit mors de filet auquel j'étais accoutumé. À présent, c'était un Weymouth inconfortable, encombrant, qui me déchirait les coins de la bouche et me mettait dans une fureur incroyable.

Mais ce que je détestais le plus dans ma nouvelle vie, c'était mon cavalier. Le brigadier Samuel Perkins était un petit homme dur, avec du cran d'ailleurs, un ancien jockey dont le seul plaisir dans la vie semblait être le pouvoir qu'il était en mesure d'exercer sur un cheval. Soldats et chevaux en avaient pareillement peur. Je sentais qu'il donnait la tremblote même aux officiers, car il paraissait savoir tout ce qu'il faut savoir sur les chevaux et il avait derrière lui l'expérience de toute une vie. En selle, il était brutal et avait la main lourde. Avec lui, cravache et éperons n'étaient pas du cinéma.

Jamais il ne me battait, jamais il ne se mettait en colère ; parfois même, à dire vrai, alors qu'il était en train de me panser, je crois qu'il m'aimait bien, peut-être, et j'éprouvais pour lui un certain respect, mais c'était un respect fondé sur la peur, pas sur l'amour. De colère et de contrariété, j'essayai plusieurs fois de lui faire vider les étriers, mais je n'y réussis jamais : ses genoux avaient une prise de fer et, d'instinct, il semblait connaître mes intentions.

Ma seule consolation dans les débuts de mon dressage, c'était la visite que me rendait chaque soir le capitaine Nicholls à l'écurie. Lui seul semblait avoir le temps de venir me parler, comme Albert autrefois. Assis dans un coin de l'écurie, un carnet de croquis posé sur les genoux, il me dessinait tout en parlant.

Un soir, il me dit :

– J'ai plusieurs croquis de toi à présent, et quand j'aurai

fini celui-ci, je serai prêt à te peindre. Ce ne sera pas un Stubbs, ce sera mieux que Stubbs, parce que Stubbs, lui, n'a jamais eu l'occasion de peindre un cheval aussi beau que toi. Mon tableau, je ne vais pas pouvoir l'emporter en France, pas vrai ? Ça n'aurait pas de sens. Alors, je vais l'envoyer à ton ami Albert. Comme ça, il saura que je parlais sérieusement quand je lui ai promis de veiller sur toi.

Tout en travaillant, il n'arrêtait pas de me regarder – le haut, le bas –, et moi, je brûlais d'envie de lui dire comme j'aurais voulu que ce soit lui qui prenne en main mon dressage, comme il était dur ce brigadier, comme j'avais mal aux flancs et aux pieds.

– Pour être franc avec toi, Joey, j'espère que cette guerre sera finie avant qu'Albert ait l'âge d'entrer dans notre régiment, parce que – et fais bien attention à mes paroles – ça va être méchant, très très méchant. Là-bas, au mess, ils sont tous en train de raconter que les Boches, ils vont s'en occuper, que la cavalerie va leur rentrer dedans et les reconduire proprement jusqu'à Berlin avant Noël. Il y a seulement Jamie et moi, seulement nous deux, qui ne sommes pas de cet avis. Nous en doutons, je peux te le dire. Nous en doutons. Il n'y en a pas un dans tout le mess qui semble avoir entendu parler des mitrailleuses et de l'artillerie. Je te le dis, Joey : une seule mitrailleuse bien manœuvrée peut liquider tout un escadron de la meilleure cavalerie du monde – allemande ou britannique, n'importe. Par exemple, regarde un peu ce qui est arrivé à la brigade légère à Balaclava, quand elle s'en est pris aux canons russes. Et les Français ont reçu une leçon pendant la guerre de 70. Mais on ne peut rien leur dire, Joey ! Si on dit quoi que ce soit, ils vous traitent de défaitiste ou autre faribole. Je crois honnêtement qu'il y en a dans le lot qui ne veulent gagner cette guerre que si c'est la cavalerie qui la gagne !

Il se leva, glissa son carnet sous son bras, se dirigea vers moi et me chatouilla les oreilles.

– Ça te plaît hein, mon petit père ? On a l'air tout feu tout flamme, comme ça, mais au fond, on est un grand sentimental. À la réflexion, toi et moi, on a beaucoup en commun. Primo, on ne se plaît pas beaucoup ici et on aimerait mieux être ailleurs ; secundo, on n'a jamais été à la guerre, on n'a même jamais entendu une détonation qui part comme ça, sur un coup de colère. Pas vrai ? J'espère que je serai à la hauteur, le moment venu. C'est ce qui me tourmente le plus, Joey ; parce que, je vais te dire – ça, je ne l'ai même pas dit à Jamie –, j'ai une trouille bleue. Alors toi, il vaudrait mieux que tu aies du courage pour deux.

Une porte claqua à l'autre bout de la cour et j'entendis ce bruit de bottes familier, ce pas décidé sur les pavés : c'était le brigadier Perkins qui faisait sa ronde du soir dans toute la série des écuries, s'arrêtant à chacune d'elles pour vérifier si tout était normal. Finalement, il arriva à la mienne.

– Bonsoir, mon capitaine, dit-il, faisant vivement le salut réglementaire. Vous dessinez toujours ?

– Je fais ce que je peux, dit le capitaine Nicholls. Je fais ce que je peux pour lui rendre justice : est-ce que ce n'est pas la plus belle monture de tout l'escadron ? Je n'ai jamais vu un cheval aussi bien bâti. Pas vous ?

– Oh ! certes, mon capitaine ; à regarder, il n'est pas du tout ordinaire, repartit le brigadier.

Sa seule voix me faisait coucher les oreilles : elle avait un timbre grêle, acide, que je redoutais.

– Cela, je vous l'accorde. Mais la beauté n'est pas tout, n'est-ce pas, mon capitaine ? Chez un cheval, il y a toujours autre chose que ce que l'on note à première vue. N'est-ce pas exact, mon capitaine ? Comment pourrais-je dire ?...

– Comme il vous plaira, brigadier, répondit le capitaine Nicholls assez froidement, mais faites attention à ce que vous dites : c'est de mon cheval que vous parlez, aussi, prenez garde !

– Disons que j'ai l'impression qu'il a une personnalité bien à lui. Oui, c'est ce que je dirais. En manœuvres, il est plutôt bon ; un vrai coureur de fond, vraiment l'un des meilleurs. Mais au manège, mon capitaine, il est diabolique, et d'une force diabolique, en plus. C'est visible qu'il n'a jamais été convenablement dressé, mon capitaine. C'est un cheval de ferme, dressé pour la ferme. S'il est destiné à faire un cheval de cavalerie, mon capitaine, il faudra qu'il apprenne à accepter la discipline. Il doit apprendre à obéir instantanément et d'instinct. On n'aura pas envie d'être assis sur une prima donna quand les balles se mettront à pleuvoir.

– Mais heureusement, brigadier, heureusement, cette guerre se déroulera en plein air, pas à l'intérieur. C'est à vous que j'ai demandé de former Joey, parce que je pense que vous êtes l'homme le plus qualifié pour ce travail. Il n'y en a pas de meilleur que vous dans l'escadron. Mais peut-être devriez-vous y aller un peu doucement avec lui. N'oubliez pas d'où il vient. Il est plein de bonne volonté; il a seulement besoin d'un peu de persuasion par la douceur. Allez-y doucement, brigadier, toujours doucement. Je ne veux pas qu'on lui aigrisse le tempérament. Ce cheval va me porter durant cette guerre et, avec un peu de chance, jusqu'à ce qu'on en ait vu le bout. Il a une importance toute particulière pour moi, vous le savez, brigadier. Aussi, veillez à vous en occuper comme si c'était le vôtre, d'accord? Nous allons partir pour la France dans moins d'une semaine. Si j'avais le temps, je le dresserais moi-même, mais je suis bien trop occupé à essayer de transformer des cavaliers en fantassins montés. Un cheval, brigadier, ça peut vous sortir d'affaire, mais ça ne peut pas se battre à votre place. Il y a des gens qui croient encore qu'ils auront seulement besoin de leur sabre, quand ils arriveront là-bas; ils croient sincèrement qu'en faisant luire leur sabre dans tous les azimuts, ils vont faire peur aux Boches et les reconduire à domicile. Mais moi, je vous dis qu'il faut qu'ils apprennent à tirer droit. On doit tous apprendre à tirer droit si on veut gagner la guerre.

– Oui, mon capitaine, répondit le brigadier avec un respect nouveau dans la voix.

Je ne l'avais jamais vu aussi soumis, aussi docile, jusqu'à présent.

– Par ailleurs, brigadier, poursuivit le capitaine Nicholls en se dirigeant vers la porte de l'écurie, je vous serais obligé d'augmenter un peu les rations de Joey ; il a un peu perdu de sa forme, je dirais qu'il régresse un peu. Je l'emmènerai moi-même aux dernières manœuvres dans deux ou trois jours, et je veux qu'il soit impeccable, le poil luisant. Il faut qu'il soit le meilleur de tout l'escadron.

Ce ne fut que la dernière semaine de ma formation militaire que je commençai enfin à m'adapter au travail. Après ce soir-là, le brigadier Perkins me parut être moins sévère avec moi. Il me faisait moins sentir l'éperon et me tenait moins court. Nous ne faisions plus autant de travail au manège à présent, et davantage d'entraînement en plein air à l'extérieur du camp. J'acceptais le mors Weymouth plus volontiers maintenant et commençais à jouer avec entre mes dents, comme j'avais toujours fait avec mon mors de filet. Je commençais à apprécier la bonne nourriture, le pansage et le lustrage, toute l'attention et les soins qu'on me réservait. À mesure que les jours passaient, je pensais de moins en moins à la ferme, à Zoey et à ma vie d'antan. Albert, en revanche, sa figure et sa voix restaient bien nets dans mon esprit, malgré la routine rigoureuse du travail qui, insensiblement, faisait de moi un cheval de l'armée.

Au moment où le capitaine Nicholls vint me chercher pour m'emmener à ces dernières manœuvres avant notre départ pour la guerre, j'étais déjà tout à fait résigné à ma nouvelle vie. J'en étais même satisfait. Revêtu de sa tenue de campagne, le capitaine Nicholls pesait lourd sur mon dos tandis que nous nous ébranlions en direction de la plaine de Salisbury. De cette journée, je garde surtout le souvenir de la chaleur et des mouches, car nous restâmes des heures plantés au soleil, dans l'attente qu'il se passe quelque chose. Puis, lorsque le soleil du soir s'agrandit et mourut à l'horizon tout plat, le régiment entier se disposa en échelon pour la charge, apothéose de nos ultimes manœuvres.

L'ordre fut donné de mettre sabre au clair et nous partîmes de l'avant. Tandis que nous attendions les sonneries des trompettes, notre anticipation chargeait l'air d'électricité. Elle passait de chaque cheval à son cavalier, de cheval à cheval, de soldat à soldat. Je sentais gonfler en moi une telle excitation que j'avais peine à me contenir. Le capitaine Nicholls était en tête de ses troupes; à sa hauteur chevauchait son ami, le capitaine Jamie

Stewart, sur un cheval que je n'avais jamais vu auparavant. C'était un grand étalon d'un noir luisant. Tandis que nous avancions au pas, je levai les yeux vers lui et retins son regard. Il sembla enregistrer le fait brièvement. Nous allions au pas, nous prîmes le trot, puis le petit galop. J'entendis sonner les trompettes et alors j'aperçus le sabre de mon cavalier, brandi au-dessus de mon oreille droite. Le capitaine Nicholls se pencha en avant sur sa selle et me lança au grand galop. Le tintamarre et la poussière, les vociférations des hommes à mes oreilles eurent de l'emprise sur moi, me maintenant à un degré d'allégresse que je n'avais jamais ressenti. Je m'envolai sur le terrain, bien loin en tête de tous les autres, sauf un. Un seul cheval demeura avec moi : le luisant étalon noir. Bien que le capitaine Nicholls et le capitaine Stewart n'eussent pas échangé une parole, je sentis qu'il devenait soudain important que je ne laisse pas ce cheval me dépasser. Un simple coup d'œil me dit qu'il pensait de même, car il y avait une détermination farouche dans ses yeux et la concentration creusait des sillons sur son front. Quand nous submergeâmes les positions ennemies, nos deux cavaliers arrivèrent tout juste à nous faire faire halte. Finalement, nous nous retrouvâmes nez à nez, soufflant, haletant, et les deux capitaines hors d'haleine après l'effort.

– Tu vois, Jamie, je te l'avais dit, déclara le capitaine Nicholls.

Quelle fierté il avait dans la voix en parlant !

– C'est le cheval dont je t'avais parlé, découvert au fin fond du Devon. Si nous avions poursuivi encore longtemps, ton Topthorn aurait peiné pour coller à lui. Tu ne peux pas dire le contraire.

D'abord, Topthorn et moi nous nous regardâmes avec circonspection. Il était plus grand que moi d'un travers de main, peut-être davantage. C'était un cheval énorme, luisant de santé. Son port de tête était d'une dignité majestueuse. Je rencontrais là le premier cheval dont je sentais que la force pouvait être pour moi un défi. Mais il y avait aussi dans ses yeux une bonté qui ne recelait aucune menace à mon égard.

– Topthorn est la plus belle monture de ce régiment, et de tous les autres, dit le capitaine Jamie Stewart. Joey est peut-être plus rapide, et je veux bien admettre qu'il a tout aussi bonne façon que les autres chevaux que j'ai vus traîner une carriole à lait, mais pour ce qui est de l'endurance, Topthorn n'a pas son pareil. Il aurait pu continuer indéfiniment et comment ! Cette bête, c'est un vrai moteur de quarante chevaux !

Ce soir-là, tandis que nous rentrions à la caserne, les deux officiers discutaient des mérites de leurs chevaux respectifs. Topthorn et moi cheminions pesamment, épaule contre épaule, la tête basse, notre énergie épuisée par le soleil et notre long galop. Cette nuit-là, on nous

mit côte à côte dans l'écurie et, le lendemain, à bord,
nous nous trouvâmes de nouveau ensemble dans les
entrailles du paquebot converti en transport de troupes
qui allait nous amener en France et là-bas à la guerre.

Chapitre 6

À bord du bateau régnait autour de nous une atmosphère de grande exubérance et d'attente confiante. Les soldats débordaient d'optimisme comme s'ils s'embarquaient pour quelque grand pique-nique militaire. Aucun ne paraissait inquiet le moins du monde. Tandis qu'ils nous soignaient dans nos stalles, les cavaliers plaisantaient et riaient de conserve comme jamais je ne les avais entendus rire et plaisanter. Et nous allions avoir bien besoin d'être entourés de leur confiance, car la traversée fut mauvaise : nombre d'entre nous devinrent craintifs et tendus alors que le bateau était follement secoué par la mer. Certains ruaient contre les stalles, dans un effort désespéré pour se libérer et trouver un sol qui ne tangue pas, qui ne se dérobe pas sous leurs pieds. Mais nos cavaliers étaient toujours là pour nous maintenir et nous réconforter.

Pour moi, toutefois, ce réconfort ne me vint pas du brigadier Samuel Perkins, qui me tenait la tête dans les moments les plus critiques ; en effet, même lorsqu'il me flattait, c'était de façon si impérieuse que je n'avais pas l'impression qu'il était sincère. Non, le réconfort me vint de Topthorn qui conserva son calme de bout en bout. Il penchait sa grande tête par-dessus la stalle et me laissait reposer sur son encolure tandis que j'essayais de chasser de mon esprit les plongeons et les bonds du navire, en même temps que le vacarme des chevaux autour de moi, dans leur terreur panique.

Mais l'humeur changea dès l'arrivée à quai. Les chevaux retrouvèrent leur sérénité quand ils sentirent à nouveau la terre ferme et stable sous leurs sabots ; en revanche, les soldats devinrent silencieux, sombres, quand nous croisâmes d'interminables files de blessés qui attendaient de monter à bord pour être rapatriés en Angleterre. Au moment du débarquement, tandis qu'on nous emmenait le long du quai, le capitaine Nicholls marchait à ma hauteur. Il avait détourné les yeux vers la mer, afin que personne ne pût y remarquer ses larmes. Des blessés partout – sur des civières, sur des béquilles, dans des ambulances découvertes – et, gravée sur le visage de chacun de ces hommes, l'expression d'une douleur et d'une souffrance pitoyables. Ils essayaient de faire bonne figure, mais même les plaisanteries, les moqueries qu'ils lançaient au passage étaient chargées de mélancolie et de sarcasme. Aucun sergent-major, aucun tir de barrage ennemi n'aurait pu réduire un corps de troupe au silence aussi efficacement que cet effroyable spectacle : les hommes voyaient ici, de leurs yeux et pour la première fois, la nature de cette guerre où ils allaient être engagés, et il n'y avait pas un seul homme de l'escadron qui y semblait préparé.

Mais une fois en route dans la plaine, en rase campagne, l'escadron chassa cet inhabituel nuage de découragement et retrouva sa belle humeur. Les hommes en selle recommencèrent à chanter et à rire entre eux. Aujourd'hui toute la journée et aussi demain, ça allait être une longue longue marche parmi la poussière. Toutes les heures, nous faisions une pause de quelques minutes, puis poursuivions jusqu'à la tombée de la nuit, avant d'établir notre campement près d'un village et toujours au bord d'un ruisseau ou d'une rivière. Ils prirent bien soin de nous au cours de cette marche ; ils mettaient souvent pied à terre et marchaient à côté de nous pour nous accorder le repos dont nous avions besoin. Mais le plus délicieux, c'étaient ces pleins seaux d'eau qu'ils nous apportaient, chaque fois que nous faisions halte à proximité d'un cours d'eau : une eau rafraîchissante ! désaltérante ! J'observai que Topthorn secouait toujours la tête dans l'eau avant de se mettre à boire, de sorte que moi, qui étais à côté de lui, j'avais toute la figure et le cou aspergés d'eau bien fraîche.

Les montures restaient en plein air, attachées dans des parcs à chevaux, comme pendant les manœuvres en

Angleterre. Nous étions donc déjà endurcis à vivre dehors; mais, à présent, il faisait plus frais parce que chaque soir tombait le brouillard humide de l'automne. Nous, ainsi stationnés, nous étions transis. Matin et soir, nous recevions du fourrage en abondance, une ration généreuse de grain dans nos musettes-mangeoires et on nous laissait paître chaque fois que c'était possible. Comme les hommes, il nous fallait apprendre à vivre sur les ressources du pays.

Chaque heure de marche nous rapprochait du tonnerre lointain du canon. À présent, le soir, l'horizon tout entier s'illuminait de lueurs orange. À la caserne, j'avais entendu le crépitement de la fusillade et cela ne m'avait pas bouleversé un brin, mais le grondement des grosses pièces, qui allait crescendo, me faisait courir des frémissements de peur sur l'échine et hachait mon sommeil en une succession de lambeaux de cauchemars. Mais quand je me réveillais, tiré de mon assoupissement par la canonnade, je constatais que Topthorn était toujours près de moi, qui m'insufflait son courage pour me soutenir. C'est lentement que je recevais le baptême du feu mais, sans Topthorn, je crois bien que je ne me serais jamais habitué au canon : la fureur, la violence de ce fracas de tonnerre, à mesure que nous approchions de la ligne du front, semblait saper et ma force et mon moral.

Durant la marche, Topthorn et moi allions toujours ensemble, côte à côte, parce que le capitaine Nicholls et le capitaine Stewart étaient rarement séparés. Je ne sais trop pourquoi, mais leur tempérament les écartait de leurs camarades officiers plus expansifs. Plus je connaissais le capitaine Nicholls, plus il me plaisait. Il me montait à la façon d'Albert – main légère, prise solide des genoux – si bien qu'en dépit de ses proportions, car il était fort de sa personne, il ne me pesait guère. Après un long trajet, j'avais toujours droit à quelques mots affectueux, d'encouragement ou de gratitude. Contraste bienvenu avec le brigadier Samuel Perkins, qui m'avait mené si dur à l'entraînement. Je l'apercevais de temps en temps, et je plaignais sa monture.

Le capitaine Nicholls ne chantait pas, ne sifflait pas comme faisait Albert, mais, de temps à autre, quand nous étions seuls tous les deux, il me parlait. Apparemment, personne ne savait vraiment où était l'ennemi. Qu'il fût en train d'avancer et nous de battre en retraite, pas de doute là-dessus. Nous avions pour mission de veiller à ce qu'il ne nous déborde pas par le flanc – nous n'avions pas envie qu'il se mette entre nous et la mer et qu'il prenne à revers tout le corps expéditionnaire britannique. Mais d'abord, il fallait que l'escadron le trouve, cet ennemi ; or, on ne le voyait nulle part. Nous battîmes la campagne des jours et des jours avant de tomber dessus par hasard. Ce fut une journée que je n'oublierai jamais : le jour de notre première bataille.

Une rumeur remonta en vague le long de la colonne :

l'ennemi était repéré! C'était un bataillon d'infanterie qui se déplaçait à découvert environ à quinze cents mètres de nous. Il nous était masqué par un petit bois de chênes épais qui s'étirait le long de la route. Les ordres retentirent : « En avant! Formation en colonne! Sabre au clair! » Comme un seul homme, les soldats abaissèrent le bras, tirèrent leur sabre du fourreau, et l'air s'illumina brièvement des éclairs de l'acier. Puis, les lames vinrent se poser sur les épaules des cavaliers. Un commandement : « Escadron! Arme sur l'épaule droite! » et nous voilà pénétrant de front dans le bois. Je sentis les genoux du capitaine Nicholls m'enserrer étroitement, et il lâcha les rênes. Son corps était crispé et, pour la première fois, il devint pesant à mon dos.

– Doucement, Joey, fit-il à voix basse; allons doucement! Ne t'excite pas. Nous allons très bien nous tirer de là. Ne t'inquiète pas.

Je me retournai pour regarder Topthorn : il était déjà dressé sur la pointe de ses sabots, prêt pour le trot qui allait venir, nous le savions. D'instinct, je me rapprochai de lui. À ce moment les trompettes retentirent et, sortant de l'ombre du bois, nous chargeâmes sous le soleil de la bataille.

Le grincement léger du cuir, le cliquetis des harnais, le son des ordres aboyés précipitamment, tout cela était à présent noyé par le martèlement des sabots et les clameurs des soldats, tandis que nous dévalions au galop sur l'ennemi dans le fond de la vallée en contrebas. Du coin de l'œil, j'aperçus le reflet du grand sabre du capitaine Nicholls ; je sentis ses éperons dans mes flancs ; j'entendis son cri de guerre ; je vis les soldats gris devant nous lever leurs fusils ; j'entendis la crécelle meurtrière d'une mitrailleuse et, tout à coup, je constatai que je n'avais plus de cavalier, que rien ne pesait plus sur mon dos et que j'étais tout seul en tête de l'escadron. Topthorn n'était plus à mes côtés mais, avec tous ces chevaux derrière moi, je savais que je ne pouvais galoper que dans une seule direction : devant moi. Une terreur aveugle me poussait, les étriers ballants qui me fouettaient me rendaient fou. Comme je ne portais plus de cavalier, j'arrivai le premier aux tirailleurs postés un genou en terre et, quand je fus sur eux ils s'éparpillèrent.

Je continuai ma course et me retrouvai seul, loin du bruit de la bataille. Et je ne me serais jamais arrêté du tout, si je n'avais retrouvé Topthorn à mes côtés et le capitaine Stewart qui se penchait pour rassembler mes rênes et me ramener ensuite sur le champ de bataille.

Nous avions gagné, avais-je entendu dire ; mais partout, des chevaux gisaient morts ou agonisants. Au cours de l'engagement, plus du quart de l'escadron avait été perdu. Tout cela avait été si rapide, si meurtrier ! Un groupe de soldats en uniforme gris avait été fait prisonnier. À présent, ils étaient tous rassemblés pêle-mêle sous les arbres, tandis que l'escadron se regroupait. On échangeait des souvenirs époustouflants de cette victoire remportée presque par accident plutôt que selon un plan concerté.

Je ne revis jamais le capitaine Nicholls. Ce fut pour moi un grand, un terrible chagrin, car c'était un homme bon et doux qui avait bien pris soin de moi, comme il l'avait promis. Comme je devais l'apprendre, de tels hommes sont assez rares de par le monde.

– Il aurait été fier de toi, Joey, déclara le capitaine Stewart, tandis qu'il me ramenait au parc à chevaux avec Topthorn. Il aurait été fier de la manière dont tu as continué à foncer en avant. Il est mort en menant la charge et, toi, tu l'as terminée à sa place. Oui, il aurait été fier de toi.

Nous bivouaquâmes en bordure des bois cette nuit-là, et Topthorn resta debout à veiller sur moi. Ensemble, nous contemplâmes la vallée sous le clair de lune et j'eus le mal du pays. Seuls la toux et le pas des sentinelles troublaient de temps en temps le silence de la nuit. Les canons étaient enfin muets. Topthorn se laissa tomber à côté de moi : nous dormîmes.

Chapitre 7

Le lendemain de très bonne heure, alors que nous nous affairions à trouver dans nos musettes-mangeoires un reliquat d'avoine, je vis le capitaine Stewart marcher à grandes enjambées le long du parc à chevaux : il venait vers nous. Perdu dans un énorme manteau de cavalerie et sous son képi, un jeune soldat que je ne connaissais pas traînait sur ses talons. Avec sa figure rose et son air jeune sous la coiffure, il me fit immédiatement penser à Albert. Je sentis que je l'impressionnais, car il s'approchait en hésitant et à contrecœur.

Le capitaine palpa les oreilles de Topthorn et lui caressa le bout tendre de son nez – c'était toujours son premier geste du matin – puis, étendant le bras, il me flatta doucement l'encolure.

– Voilà, **cavalier Warren**, c'est lui, dit le capitaine Stewart. Approchez, cavalier, il ne va pas vous mordre. Il s'appelle Joey. Il appartenait au meilleur ami que j'aie jamais eu, alors prenez grand soin de lui, vous entendez ?

Le ton était ferme mais pas dépourvu d'aménité.

– Et ceci encore : je pourrai avoir l'œil sur vous en permanence, car ces deux chevaux sont inséparables. Ce sont les deux meilleurs de l'escadron, et ils le savent.

Il s'approcha plus près de moi et, écartant la mèche que j'avais sur la figure :

– Joey, fit-il à voix basse, tu veilleras bien sur lui ; ce n'est qu'un gamin et, jusqu'à présent, il en a bavé pendant cette guerre.

Aussi, quand l'escadron fit marche hors du bois ce matin-là, je constatai que je ne pouvais plus aller en compagnie de Topthorn, comme du temps du capitaine Nicholls ; aujourd'hui, je faisais seulement partie de la troupe dont la longue colonne suivait derrière les officiers. Toutefois, chaque fois qu'on faisait halte pour boire ou pour manger, le cavalier Warren veillait à me conduire jusqu'à l'endroit où se trouvait Topthorn, afin que nous soyons ensemble.

Le soldat Warren n'était pas bon cavalier ; je m'en aperçus à l'instant même où il me monta. Il était toujours crispé et lourd sur la selle comme un sac de pommes de terre. Il n'avait ni l'expérience ni l'assurance du brigadier Samuel Perkins, ni la finesse et l'extrême sensibilité du capitaine Nicholls. Il oscillait irrégulièrement sur la selle et me tenait toujours les rênes trop court, de sorte que j'étais sans cesse obligé de secouer la tête pour leur donner du mou. Mais dès qu'il n'était plus en selle, c'était le plus doux des hommes. Quand il me pansait, il était méticuleux et bienveillant. Il soignait sans délai les blessures que me causait la selle, les échauffements et les molettes – tous accidents fréquents et douloureux auxquels j'étais particulièrement sujet. Depuis que j'avais quitté la ferme, personne ne s'était occupé de moi comme il le faisait. Au cours des quelques mois qui suivirent, c'est à son affection vigilante que je dus de demeurer en vie.

Il y eut bien quelques menues escarmouches au cours de ce premier automne de guerre mais, comme le colonel Nicholls l'avait prévu, on nous employa de moins en moins comme chevaux de cavalerie et davantage comme moyen de transport pour l'infanterie portée. Tombions-nous sur l'ennemi, les fantassins de l'escadron mettaient pied à terre, sortaient leurs fusils des étuis, et les chevaux restaient à l'arrière, hors de vue, sous la surveillance de quelques hommes de la cavalerie. En sorte que nous, nous ne voyions jamais rien des engagements ; en revanche, nous entendions le crépitement lointain de la fusillade et la crécelle des mitrailleuses. Au retour des soldats, quand l'escadron reprenait sa marche, un cheval ou deux étaient régulièrement sans cavalier.

On faisait route pendant des heures, des jours d'affilée, semblait-il. Puis, soudain, une motocyclette nous dépassait en vrombissant dans un nuage de poussière. Alors venaient les ordres aboyés, l'appel strident des trompettes. L'escadron pivotait, sortait de la route et, une fois de plus, allait au feu.

Ce fut pendant les longues marches où l'on étouffait et les nuits froides qui leur faisaient suite que le cavalier Warren commença à me parler. Il me raconta qu'au cours de cet engagement où le capitaine Nicholls avait été tué, lui-même avait eu son cheval abattu sous lui ; quelques semaines à peine auparavant, il était encore apprenti forgeron chez son père. Puis la guerre avait éclaté. Il n'avait pas envie de s'engager, disait-il, mais le châtelain du pays avait parlé à son père, et son père, qui louait sa maison et sa forge au châtelain, n'avait pas eu le choix : il avait dû l'expédier à la guerre. Comme il avait grandi parmi les chevaux, il s'était porté volontaire pour la cavalerie.

– Je te le dis, Joey, me confia-t-il un soir où il était en train de curer mes sabots, je te le dis : je n'aurais jamais cru que je remonterais sur un cheval après cette première bataille. Une chose bizarre, Joey, c'est que ça n'était pas à cause des balles. Les balles, ça ne me dérangeait pas, va-t'en savoir pourquoi ! Non. Non, c'était seulement l'idée de remonter sur un cheval qui me faisait une peur mortelle. Ça paraît pas possible, hein ? Moi qui travaillais à la forge, et tout et tout. Ça m'a passé, à présent ; c'est grâce à toi, Joey. Tu m'as redonné confiance. Je me sens prêt à n'importe quoi à présent. Quand je suis sur toi, je me sens comme un chevalier avec son armure, tu sais.

Plus tard, avec l'irruption de l'hiver, la pluie tomba. À verse. Au début, elle nous rafraîchit et nous changea agréablement de la poussière et des mouches, mais bientôt les champs et les chemins se transformèrent en boue sous nos pas. Impossible à l'escadron de bivouaquer au sec car il y avait bien peu d'abris, et tant les hommes que les chevaux étaient constamment trempés jusqu'aux os. Guère ou pas du tout de protection contre la pluie battante ; la nuit, nous demeurions plantés dans la boue glacée et collante qui nous montait plus haut que les paturons. Mais le cavalier Warren s'occupait de moi avec grand dévouement : il me mettait à l'abri là où c'était possible et lorsque c'était possible ; il faisait pénétrer en moi un petit peu de chaleur en me bouchonnant avec des poignées de paille sèche, quand il arrivait à en trouver, et il vérifiait que j'avais toujours une bonne ration d'avoine dans ma musette-mangeoire pour pouvoir tenir le coup. Au fil des semaines, la fierté qu'il avait de ma force et de mon endurance sauta aux yeux de tous. Et, de même, l'affection que j'avais pour lui. Si seulement, me disais-je, si seulement il pouvait se borner à me panser, à me soigner et que ce soit quelqu'un d'autre qui me monte !

Mon cavalier Warren me parlait beaucoup de la façon dont cette guerre se passait. Selon lui, nous allions être ramenés derrière les lignes, dans des camps de réserve. Apparemment, les forces en présence s'étaient pilonnées réciproquement au point de se trouver immobilisées dans la boue. Puis, elles s'étaient enterrées. Les gourbis étaient rapidement devenus des tranchées, et les tranchées s'étaient réunies, zigzaguant à travers le pays, de la mer à la Suisse. Il disait aussi qu'on aurait à nouveau besoin de nous au printemps pour débloquer cette situation de paralysie. La cavalerie pouvait aller où l'infanterie n'allait pas et elle était assez rapide pour pouvoir investir les tranchées. On allait lui montrer à l'infanterie, disait-il, comment il fallait s'y prendre. Mais d'abord, il fallait survivre à l'hiver, jusqu'à ce que le terrain redevienne assez dur pour pouvoir employer utilement la cavalerie.

Topthorn et moi, nous passâmes l'hiver à nous protéger mutuellement, tant bien que mal, de la neige et du grésil, cependant qu'à quelques kilomètres de là nous entendions les canons se pilonner sans arrêt, de nuit comme de jour. Nous voyions les soldats joyeux sourire sous leur casque de tôle quand ils montaient en ligne. Ils allaient, sifflant, chantant et gouaillant. Plus tard, nous les voyions revenir, débris rescapés, épuisés, hâves et muets dans leurs pèlerines, sous la pluie.

De temps en temps, le cavalier Warren recevait une

lettre de chez lui. Il me la lisait à mi-voix, avec circonspection, de peur que quelqu'un d'autre n'entende. Ces
lettres étaient toutes de sa mère et disaient à peu près
toutes la même chose :

*Mon cher Charlie, lisait-il, ton père espère que tu vas
bien, et moi aussi. Tu nous as bien manqué en n'étant pas
là pour Noël : sans toi, la table de la cuisine paraissait bien
vide. Mais ton petit frère nous donne un coup de main
quand il peut, et papa dit qu'il commence à bien se
débrouiller, bien qu'il soit encore un peu petit et pas encore
assez fort pour tenir les chevaux de ferme. La vieille veuve
de Hanniford Farm, Minnie Whittle, est morte dans son
sommeil la semaine passée. Elle avait quatre-vingts ans,
alors elle n'a pas de quoi ronchonner. Comme ronchon, il
n'y en a jamais eu deux comme elle, tu te rappelles ? Bon,
voilà à peu près toutes les nouvelles, mon petit. Ton amie
Sally, du village, te fait dire bien des choses ; elle a dit de
te dire qu'elle va t'écrire bientôt. Garde-toi bien, mon chéri,
et reviens-nous vite. Ta mère qui t'aime.*

– Mais Sally, elle, n'écrira pas, Joey, parce qu'elle sait pas
écrire, pas très bien, en tout cas. Mais dès que ce sera fini,
liquidé, cette histoire, je vais rentrer au pays et je vais
l'épouser. J'ai grandi avec elle, Joey, je la connais depuis
que je suis né. Probable que je la connais aussi bien que
je me connais, et elle me plaît drôlement plus que moi.

Le cavalier Warren rompait pour nous la terrible monotonie de l'hiver. Il me redonnait du cœur au ventre et je voyais que Topthorn aussi accueillait avec plaisir les visites qu'il faisait au parc à chevaux. Il ne se rendait absolument pas compte comme il nous faisait du bien. Durant cet hiver abominable, il y eut tant de chevaux emmenés à l'hôpital vétérinaire et qui ne revinrent jamais ! Comme tous les chevaux de l'armée, nous étions tondus à ras, ainsi que le sont les chevaux de chasse à courre, si bien que nous avions toute la partie inférieure du corps exposée à la boue et à la pluie. Les plus faibles d'entre nous furent les premiers à en pâtir, parce qu'ils avaient peu de résistance et dégringolaient vite la pente.

Mais Topthorn et moi réussîmes à tenir le coup jusqu'au printemps. (Topthorn réchappa d'une toux violente qui le secouait dans toute sa puissante carcasse, comme si, de l'intérieur, elle essayait de lui arracher sa vie. C'est le capitaine Stewart qui le sauva en le bourrant de bouillies d'avoine brûlantes et en le couvrant de son mieux dans les périodes les plus glaciales.)

Et puis, une nuit, par un froid perçant, au début du printemps (nous avions le dos couvert de givre), les cavaliers arrivèrent au parc à chevaux à une heure exceptionnellement matinale. Avant l'aube. Un violent tir de barrage n'avait cessé de toute la nuit. Il y avait dans le camp une agitation et une excitation inédites. Il ne s'agissait pas d'un de ces exercices de routine que nous en étions venus à attendre. Les cavaliers longeaient les parcs à chevaux en tenue de campagne : deux cartouchières, masque, fusil, sabre. On nous sella et on nous fit sortir du camp en silence pour nous conduire à la route. Les cavaliers parlaient de la bataille en perspective et toutes les frustrations, les irritations dues à l'oisiveté forcée s'évanouirent, tandis que, montés en selle, ils se mettaient à chanter. Et mon cavalier Warren chantait en même temps, avec autant d'ardeur qu'eux. Dans la grisaille froide de la nuit, l'escadron rejoignit le régiment dans les restes d'un village en ruine peuplé seulement par les chats, et y attendit pendant une heure que la lueur pâle de l'aurore se glisse à l'horizon. Les canons vociféraient toujours leur courroux et le sol tremblait sous nos pas. Nous dépassâmes les hôpitaux de campagne et l'artillerie légère, franchîmes au trot les tranchées d'appui pour enfin avoir un aperçu du champ de bataille. La désolation et la destruction étaient partout : pas une construction n'était intacte ; pas un brin d'herbe ne poussait dans le sol éventré et ravagé. Autour de moi, les chants cessèrent et nous poursuivîmes dans un silence menaçant au-delà des tranchées bondées d'hommes, baïonnette au canon. Ils nous saluèrent d'acclamations clairsemées lorsque nous traversâmes les planches dans un grand bruit de sabots pour nous engager dans le désert du no man's land, dans le désert des barbelés, des trous d'obus et de l'horrible bric-à-brac de la guerre. Soudain, le canon cessa de tirer au-dessus de nos têtes. Nous étions au milieu des barbelés. Notre escadron se déploya en un large échelon irrégulier; les trompettes sonnèrent; je sentis les éperons me mordre les flancs et j'avançai à la hauteur de Topthorn lorsque nous prîmes le trot.

– Fais-moi honneur, Joey, dit le cavalier Warren, en tirant son sabre. Fais-moi honneur.

Chapitre 8

Pendant un tout petit bout de temps, nous avançâmes au trot, comme nous l'avions fait à l'entraînement. Dans le silence insolite du no man's land, on n'entendait que le cliquetis des harnais et les chevaux qui s'ébrouaient. Nous progressions avec précaution, en évitant les cratères et en conservant l'alignement tant bien que mal. Là-haut, devant nous, au sommet d'un coteau en pente douce, apparaissaient les restes saccagés d'un bois et, juste en dessous, un hideux réseau de barbelés en train de rouiller, qui s'étendait à perte de vue à l'horizon.

J'entendis le cavalier Warren murmurer entre ses dents :

– Les barbelés ! Mon Dieu, Joey ! Et eux qui nous disaient qu'il n'y aurait plus de barbelés ! Ils disaient que l'artillerie allait liquider les barbelés. Oh, mon Dieu !

Nous avions pris le petit galop, à présent : toujours pas trace de l'ennemi, pas un bruit. Courbés sur l'encolure de leurs chevaux, sabre pointé en avant, les cavaliers apostrophaient un ennemi invisible. Je rassemblai mes énergies pour prendre le galop et rester à hauteur de Topthorn. Ce faisant, les premiers obus – terrifiants – tombèrent parmi nous et les mitrailleuses ouvrirent le feu. Le tumulte de la bataille commençait. Tout autour de moi, les hommes criaient, tombaient à terre ; les chevaux, en proie à la terreur, à la douleur, se cabraient et hurlaient. De chaque côté de moi, la terre entrait en éruption, projetant chevaux et cavaliers littéralement en l'air. Les obus gémissaient et rugissaient au-dessus de nos têtes ; chaque explosion nous faisait l'effet d'un tremblement de terre. Mais inexorablement, au milieu de tout cela, l'escadron progressait au galop en direction des barbelés du sommet de la côte, et moi, j'y allais avec lui.

Sur mon dos, le cavalier Warren m'enserrait avec ses genoux dans une prise de fer. À un moment, je trébuchai et je le sentis perdre un de ses étriers. Je ralentis l'allure pour qu'il pût le retrouver. Topthorn était toujours devant moi, tête haute, sa queue fouettant en tous sens. Trouvant dans mes pattes une énergie nouvelle, je chargeai à sa suite. Dans sa chevauchée, le cavalier Warren priait à voix haute, mais bientôt ses prières se changèrent en blasphèmes, quand il vit le carnage qui l'environnait. Seuls quelques chevaux atteignirent les barbelés ; parmi eux, Topthorn et moi. Il y avait bien quelques trous ouverts dans les barbelés par notre bombardement, en sorte que quelques-uns d'entre nous réussirent à se frayer un passage. Nous tombâmes enfin sur les tranchées ennemies :

elles étaient désertes. Les tirs provenaient à présent de plus haut : du milieu des arbres ; aussi, l'escadron, ou ce qu'il en restait, se regroupa et s'enfonça au galop dans le bois, pour se trouver seulement confronté à un réseau de barbelés dissimulé parmi les arbres. Certains chevaux vinrent se jeter dessus avant qu'on pût les arrêter. Ils y restèrent accrochés, tandis que leurs cavaliers essayaient fébrilement de les dépêtrer de là. Je vis un cavalier mettre pied à terre délibérément en voyant que son cheval s'y était pris, sortir son fusil et abattre sa monture avant de tomber mort lui-même sur les barbelés. Je vis tout de suite qu'il n'y avait pas moyen de passer au travers, que le seul moyen était de sauter par-dessus les barbelés et, quand Topthorn et le capitaine Stewart passèrent d'un bond à l'endroit le plus bas, je les suivis et nous nous trouvâmes enfin au milieu de l'ennemi. Sorti de derrière chaque arbre et de toutes les tranchées environnantes, semblait-il, l'ennemi courait à la contre-attaque, coiffé du casque à pointe. Les soldats nous dépassèrent à toute allure, en nous ignorant, jusqu'au moment où nous nous retrouvâmes cernés par toute une compagnie dont les hommes pointaient sur nous leurs fusils.

La déflagration des obus, le crachement de la fusillade avaient brusquement cessé. Je cherchai des yeux autour de moi le reste de l'escadron, pour découvrir que nous étions seuls. Derrière nous, les chevaux sans cavalier – tout ce qu'il restait d'un fier escadron – s'en retournaient au galop vers nos tranchées. Le versant de la colline, en dessous de nous, était jonché de morts et de mourants.

– Jetez votre sabre, cavalier Warren, dit le capitaine Stewart, s'inclinant sur sa selle et jetant lui-même son sabre à terre. Il y a eu assez de massacre inutile pour aujourd'hui. Ça n'a pas de sens d'en rajouter.

Il ramena Topthorn vers nous et le retint par les rênes.

– Je vous ai dit un jour, cavalier, que nous avions les meilleurs chevaux de l'escadron ; aujourd'hui, ils ont montré qu'ils sont les meilleurs chevaux de tout le régiment, de toute cette foutue armée, même. Et ils n'ont pas une égratignure.

Quand les soldats allemands se rapprochèrent, il mit pied à terre et le cavalier Warren l'imita. Ils restèrent côte à côte à tenir nos rênes, tandis qu'on nous encerclait. Nous regardâmes derrière nous le champ de bataille au pied de la colline : quelques chevaux se débattaient encore dans les barbelés, mais l'infanterie allemande, qui avançait et avait déjà regagné sa ligne de tranchée, mit fin – une bête après l'autre – à leur calvaire. Ce furent là les derniers coups de feu de la bataille.

– Quel gâchis, dit le capitaine. Quel abominable gâchis ! Peut-être que maintenant, quand ils vont voir ça, ils vont comprendre qu'on ne peut pas envoyer des chevaux au milieu des barbelés et des mitrailleuses. Peut-être qu'à présent ils vont réfléchir un peu.

Les soldats qui nous entouraient semblaient méfiants

et restaient à distance. Ils n'avaient pas l'air de bien savoir quoi faire de nous.

– Et les chevaux, mon capitaine? demanda le cavalier Warren. Joey et Topthorn, qu'est-ce qu'ils vont devenir, à présent?

– Pareil que nous, cavalier. Ils sont prisonniers de guerre comme nous.

Flanqués des soldats, qui n'étaient guère bavards, nous franchîmes sous leur escorte la crête de la colline, pour redescendre dans la vallée. Ici, la vallée était encore verdoyante, parce qu'on ne s'était pas battus sur ce site, jusqu'à présent. Le cavalier Warren gardait en permanence le bras sur mon encolure et je sentis alors qu'il commençait à me dire au revoir.

Il me parla doucement à l'oreille :

– Ne va pas t'imaginer qu'ils vont te laisser venir avec moi là où ils m'emmènent, Joey. Je voudrais bien qu'ils puissent faire comme ça, mais ils ne peuvent pas. Mais je ne t'oublierai jamais, ça, je te le jure.

– Ne vous faites pas de souci, cavalier, dit le capitaine Stewart : les Allemands aiment leurs chevaux exactement comme nous. Tout ira bien pour ces deux-là. De toute façon, Topthorn veillera sur votre Joey, vous pouvez en être sûr.

Quand nous sortîmes du bois et que nous fûmes en bas sur la route, notre escorte nous fit faire halte. Le capitaine Stewart et le cavalier Warren furent conduits le long de la route jusqu'à un groupe de bâtiments en ruine qui avait dû naguère être un village. Quant à Topthorn et moi, on nous emmena à travers champs plus bas dans la vallée. Il n'y eut pas de temps pour de longs adieux : simplement, pour chacun de nous, une dernière caresse sur le bout du nez, puis ils s'en furent. Tandis qu'ils s'éloignaient, le capitaine Stewart avait posé son bras sur les épaules du cavalier Warren.

Chapitre 9

Deux soldats nerveux nous emmenèrent par des sentiers de ferme, à travers des vergers. Nous traversâmes un pont et, finalement, on nous attacha près d'une tente qui était un hôpital de campagne, à quelques kilomètres de l'endroit où nous avions été capturés. Un petit groupe de soldats blessés s'assembla aussitôt autour de nous. Ils nous flattèrent, nous caressèrent, et moi, impatienté, je commençai à fouetter de la queue. J'avais faim, j'avais soif et je n'étais pas content d'avoir été séparé du cavalier Warren.

Ça continuait : personne n'avait l'air de bien savoir quoi faire de nous. Jusqu'au moment où un officier en long manteau gris, avec un bandeau autour de la tête, émergea de la tente. C'était un homme d'une taille immense : il avait une bonne tête de plus que tous ceux qui l'entouraient. Sa démarche et son maintien dénotaient clairement l'homme habitué à exercer l'autorité. Un bandeau lui descendait sur l'œil, en sorte que seule la moitié de son visage était visible. Comme il venait vers nous, j'observai qu'il boitait, qu'il avait un gros pansement au pied et qu'il lui fallait s'appuyer sur une canne pour marcher. À son approche, les soldats firent un bond en arrière et se figèrent au garde-à-vous. Il nous examina tous les deux avec une admiration non déguisée, tout en hochant la tête et en soupirant. Puis il se tourna vers les hommes.

– Il y en a des centaines comme eux qui sont morts, là-bas sur nos barbelés. Je vous le dis : si nous avions eu ne fût-ce qu'une parcelle du courage de ces bêtes, nous serions à Paris à présent, au lieu de croupir ici dans la boue. Ces deux chevaux ont traversé une fournaise infernale pour arriver ici. Ce sont les deux seuls. Ce n'est pas leur faute si on leur avait donné une mission imbécile. Ce ne sont pas des chevaux de cirque, ce sont des héros. Vous comprenez ? Des héros ! Et ils doivent être traités comme tels. Et vous autres, vous restez là plantés devant, la bouche ouverte. Aucun parmi vous n'est sérieusement blessé et le docteur est beaucoup trop occupé pour vous voir maintenant. Aussi, je veux qu'on me desselle ces chevaux, qu'on les bouchonne, qu'on les abreuve et qu'on leur donne à manger. Immédiatement. Il leur faut de l'avoine et du foin, et une couverture pour chacun. Allez et que ça saute !

Les hommes s'égaillèrent précipitamment en tous sens ; quelques minutes plus tard, on nous prodiguait, à Topthorn et à moi, toutes sortes de gauches attentions. Apparemment, aucun ne s'était jamais occupé d'un cheval auparavant, mais ça nous était égal, tant nous étions reconnaissants pour l'eau et le fourrage qu'ils nous apportaient. Ce matin-là, nous ne manquâmes de rien. Et pendant tout ce temps, le grand officier, appuyé sur sa canne, là-bas sous les arbres, surveillait les opérations. De temps en temps, il venait jusqu'à nous, nous passait la main sur l'échine et la croupe, hochant la tête d'un air approbateur et haranguant ses hommes sur les détails subtils de l'élevage des chevaux, tandis qu'il nous passait en revue. Au bout d'un moment, il fut rejoint par un homme en blouse blanche qui émergea de la tente, échevelé, le visage pâle d'extrême fatigue. Il y avait du sang sur sa blouse.

– Le quartier général a téléphoné au sujet des chevaux, mon capitaine, déclara l'homme en blanc. Ils disent que je dois les réserver aux blessés couchés. Je connais votre opinion sur la question, mon capitaine, mais j'ai bien peur que vous ne puissiez les prendre. Nous en avons désespérément besoin ici et, à la façon dont les choses tournent, je crains qu'il ne nous en faille d'autres. Ça n'était qu'une première attaque, il y en a d'autres en perspective. Nous nous attendons à une offensive de longue durée, ce sera une longue bataille. Nous sommes bien pareils dans les deux camps : une fois que nous lançons une opération, il semble que nous soyons obligés de prouver quelque chose. Ce qui exige du temps et des vies. Nous allons avoir besoin de tous les moyens de transport par ambulance disponibles. Tant motorisés qu'hippomobiles.

Le grand officier se redressa de toute sa taille, se hérissant d'indignation. C'était un spectacle impressionnant de le voir s'avancer sur l'homme en blanc.

– Monsieur le major ! Vous n'avez pas le droit de mettre de magnifiques chevaux de la cavalerie britannique entre les brancards d'une charrette ! N'importe lequel de nos régiments de cavalerie, ma propre unité de lanciers même serait fière, que dis-je ? comblée, d'avoir dans ses rangs d'aussi superbes bêtes ! Vous n'avez pas le droit de faire ça, docteur. Je ne le permettrai pas.

– Mon capitaine, reprit patiemment le major – à l'évidence, il n'était pas du tout impressionné –, est-ce que vous imaginez sérieusement qu'après la folie de cette matinée l'un des camps, ou l'autre, emploiera à nouveau la cavalerie dans cette guerre ? Ne pouvez-vous pas comprendre que nous avons besoin de transports, mon capitaine ? Et c'est maintenant que nous en avons besoin. Il y a des braves – des Allemands, des Anglais – qui gisent là-bas dans les tranchées sur des civières et, en ce moment, il n'y a pas assez de moyens de transport pour les ramener ici à l'hôpital. Alors, vous voulez qu'ils meurent tous, mon capitaine ? Répondez-moi. Vous voulez qu'ils meurent ? Si on pouvait atteler ces chevaux à une charrette, ils pourraient ramener les hommes par douzaines. Nous n'avons pas assez d'ambulances pour faire face et celles que nous avons tombent en panne ou s'enlisent dans la boue. Je vous en prie, mon capitaine. Nous avons besoin de votre aide.

– Le monde, répondit l'officier allemand en hochant la tête, le monde est devenu complètement fou. Quand de nobles créatures comme celles-ci en sont réduites à devenir des bêtes de somme, c'est que le monde est devenu fou. Mais je vois bien que vous avez raison, monsieur le major. J'ai beau être lancier, je sais tout de même que les hommes sont plus importants que les chevaux. Mais pour ces deux-là, vous devrez trouver un responsable qui connaisse les chevaux. Ces deux-là, je ne veux pas qu'un mécano quelconque aux doigts pleins de cambouis pose les pattes dessus. Et il faut leur dire aussi que ce sont des chevaux qu'ils conduisent. Tirer des charrettes, ils ne vont pas bien le prendre, si noble que soit la cause.

– Merci, mon capitaine, dit le major. Vous êtes infiniment bon, mais j'ai une difficulté, mon capitaine. Comme j'en suis sûr, vous serez d'accord avec moi : il va leur falloir un spécialiste pour les prendre en main au début, en particulier s'ils n'ont jamais été attelés auparavant. Le problème, c'est que je n'ai que des infirmiers, ici. À vrai dire, il y en a un qui a travaillé avec des chevaux dans une ferme, avant la guerre, mais pour vous parler franc, mon capitaine, je n'ai personne qui soit capable de venir à bout de ces deux-là. Personne, à part vous. Vous devez partir pour l'hôpital de l'arrière par le prochain convoi d'ambulances, mais elles ne seront pas ici avant ce soir. Je sais que c'est beaucoup demander à un homme qui est blessé, mais vous voyez dans quelle situation je suis. Le fermier là, en bas, a plusieurs charrettes, et aussi, j'imagine, tous les traits et harnais dont vous auriez besoin. Qu'en dites-vous, mon capitaine ? Pouvez-vous m'aider ?

L'officier aux pansements revint vers nous en boitant et nous caressa tendrement le nez. Puis il sourit et fit oui de la tête.

– Très bien, c'est un sacrilège, docteur, un sacrilège, mais s'il faut le commettre, alors j'aime autant que ce soit moi et que ce soit fait convenablement.

Aussi, ce même après-midi qui suivit notre capture, Topthorn et moi, nous fûmes attelés côte à côte à une vieille charrette à foin et, l'officier donnant ses directives aux deux infirmiers, on nous fit retourner à travers bois vers le tonnerre de la canonnade et les blessés qui nous attendaient. Topthorn était constamment dans un état d'inquiétude intense car, c'était évident, il n'avait jamais été mis dans des brancards de toute sa vie ; si bien qu'enfin je fus en mesure à mon tour de l'aider, de mener l'attelage, de rattraper les erreurs et de le rassurer. Au début, l'officier nous mena par la bride : il marchait à mes côtés, avec sa canne, en boitant, mais il eut vite assez confiance pour monter dans la charrette avec les deux infirmiers et pour prendre les rênes.

– Toi, tu as déjà fait un peu ce travail-là, mon ami, dit-il, je le vois bien. J'ai toujours su que les Britanniques étaient fous. À présent que je me rends compte qu'ils mettent des chevaux comme toi entre les brancards d'une charrette, j'en suis absolument sûr. La voilà, la cause de cette guerre, mon ami : il s'agit de savoir qui est le plus fou des deux. Et à l'évidence, vous autres Britanniques, vous êtes partis avec une longueur d'avance. Vous étiez fous au départ.

Tout l'après-midi, toute la soirée, tandis que la bataille faisait rage, nous nous trimballâmes jusque dans les lignes, chargeant des cargaisons de blessés en civière que nous ramenions à l'hôpital de campagne. Cela représentait plusieurs kilomètres dans chaque sens, par des routes et des pistes pleines de cratères d'obus et jonchées de cadavres de mulets et de soldats. Des deux côtés, le barrage d'artillerie était permanent. Toute la journée, il nous passait en rugissant au-dessus de la tête, tandis que les armées précipitaient leurs hommes les uns contre les autres dans l'étendue du no man's land et que les blessés capables de marcher refluaient sur les routes. Ces mêmes visages gris regardant de dessous le casque, je les avais déjà vus quelque part. La seule différence, c'était les uniformes : aujourd'hui, ils étaient gris avec un liseré rouge et les casques n'étaient plus ronds et à larges bords.

La nuit était presque tombée lorsque le grand officier nous quitta. Il nous fit de la main des signes d'adieu, et aussi au major, depuis l'arrière de l'ambulance qui s'en alla en cahotant à travers champs et disparut. Le docteur se tourna vers les infirmiers qui nous avaient accompagnés toute la journée.

– Ces deux-là, veillez à ce qu'ils soient bien soignés. Aujourd'hui, ils ont tous deux sauvé des vies qui en valent la peine, de bonnes vies anglaises et de bonnes vies allemandes. Ils méritent les meilleurs soins. Veillez à ce qu'on les leur donne.

Ce soir-là, pour la première fois depuis que nous étions à la guerre, Topthorn et moi connûmes le luxe d'une écurie. Un appentis de la ferme de l'autre côté du champ la séparant de l'hôpital fut vidé de ses cochons et de ses volailles. On nous fit entrer et nous nous trouvâmes devant une pleine mangeoire de foin parfumé et de seaux d'une eau fraîche qui nous fit beaucoup de bien.

Ce soir-là, donc, après avoir fini notre foin, Topthorn et moi, nous étions couchés ensemble dans le fond de l'appentis. Je somnolais à moitié et n'arrivais à penser qu'à mes muscles douloureux et à mes pieds meurtris. Soudain, la porte s'ouvrit en grinçant et l'écurie s'éclaira d'une lueur orange qui vacillait. Derrière la lueur, des pas. Nous levâmes la tête et je fus alors la proie d'une sorte de panique. Pendant un instant fugitif, je crus me retrouver chez moi à l'écurie, avec la vieille Zoey. Cette lumière dansante déclencha mon angoisse : elle me rappela immédiatement le père d'Albert. En un clin d'œil, je fus sur mes pieds et m'éloignai de la lumière ; Top-thorn était à mes côtés, qui me protégeait. Toutefois, quand j'entendis la voix, ce n'était pas celle, rauque et pâteuse, du père d'Albert, mais bien plutôt le timbre doux et mélodieux d'une voix de fille ; une petite fille. À présent, je me rendais compte qu'il y avait deux personnes derrière cette lumière : un vieillard, courbé, portant des vêtements grossiers et des sabots, et derrière lui, une fillette, la tête et les épaules enveloppées dans un châle.

– Les voici, grand-papa. Je t'avais dit qu'ils les avaient mis ici. Tu as déjà vu quelque chose d'aussi joli ? Oh, grand-papa, on peut me les donner ? On peut me les donner, dis ?

Chapitre 10

S'il est possible d'être heureux au milieu d'un cauchemar, alors, Topthorn et moi, nous fûmes heureux, cet été-là. Tous les jours, nous devions faire ce même trajet hasardeux jusqu'à la ligne de front.

Celle-ci, en dépit d'offensives et de contre-offensives quasi continuelles, ne se déplaçait que de quelques centaines de mètres dans un sens ou dans l'autre. Tirant notre charrette-ambulance chargée de mourants et de blessés en rentrant des tranchées, nous devînmes des figures familières sur la piste criblée de trous. Plus d'une fois, nous fûmes acclamés par les soldats en marche qui nous croisaient. Un jour, après avoir peiné, peiné, trop fatigués pour avoir peur, en traversant un tir de barrage dévastateur qui coiffait la route devant et derrière nous, l'un des soldats, avec sa tunique couverte de sang et de boue, s'avança, s'arrêta tout près de ma tête, mit son bras intact autour de mon cou et m'embrassa.

– Merci, mon ami, dit-il. Je n'aurais jamais cru qu'on nous sorte de ce trou d'enfer. J'ai trouvé ça, hier. J'avais pensé le garder pour moi, mais je sais à qui il revient de droit. Il leva le bras et accrocha un ruban boueux à mon cou. Au bout du ruban se balançait une Croix de fer.

– Il faudra que tu la partages avec ton ami, poursuivit-il. On m'a dit que vous êtes anglais tous les deux. Je parierais que vous êtes les premiers Anglais à gagner la Croix de fer, et ça ne m'étonnerait pas que vous soyez les derniers.

Les blessés qui attendaient devant la tente-hôpital nous applaudirent et nous acclamèrent à tous les échos, ce qui fit accourir hors de la tente les médecins, les infirmiers et les patients qui voulaient voir ce qu'il pouvait bien y avoir à applaudir au milieu de tout ce désastre.

On accrocha notre Croix de fer dehors, sur la porte de notre écurie et, les rares journées calmes où les bombardements s'arrêtaient et où on n'avait pas besoin de nous pour faire le trajet jusqu'au front, certains des blessés en état de marcher venaient en balade de l'hôpital à la ferme pour nous rendre visite. Cette adulation me laissait perplexe, mais j'adorais ça : je passais la tête par la haute porte de l'écurie chaque fois que je les entendais entrer dans la cour. Plantés à la porte l'un à côté de l'autre, Topthorn et moi recevions notre ration inépuisable de compliments et d'adoration, accompagnée parfois, bien sûr, de quelque gâterie bien accueillie : un morceau de sucre ou une pomme, par exemple.

Mais ce sont les soirs de cet été-là qui restent si vivants dans ma mémoire. Souvent, ce n'était pas avant le crépuscule que nous rentrions dans la cour de la ferme en claquant des sabots ; et là, nous attendant toujours près de la porte de l'écurie, il y avait la petite fille et son grand-père, ceux-là mêmes qui étaient venus nous voir le premier soir. Les infirmiers nous confiaient à eux, ce qui valait aussi bien car, tout gentils qu'ils étaient, ils n'avaient pas la moindre notion de ce qu'est un cheval. C'est la petite Émilie et son grand-père qui insistaient pour s'occuper de nous. Ils nous bouchonnaient et soignaient nos plaies et nos meurtrissures. Ils nous nourrissaient, nous abreuvaient et, Dieu sait comment, ils trouvaient toujours assez de paille pour nous faire une litière bien sèche et bien tiède. Émilie nous confectionna une frange à chacun qu'elle nous attacha au-dessus des yeux pour empêcher les mouches de nous agacer et, par les tièdes soirées d'été, elle nous menait paître dans la prairie en dessous de la ferme et restait avec nous à nous regarder brouter jusqu'à ce que le grand-père appelle pour nous faire rentrer.

C'était une créature minuscule et frêle, mais elle nous emmenait partout dans la ferme en toute confiance, n'arrêtant pas de bavarder : ce qu'elle avait fait aujourd'hui, comme nous étions braves, et comme elle était fière de nous.

Quand l'hiver revint et que l'herbe perdit sa saveur et sa bonne qualité, alors c'est elle qui grimpait dans le fenil au-dessus de l'écurie et nous jetait notre foin. Puis, elle s'étendait sur le plancher du fenil et nous regardait par la trappe, tandis que nous tirions le foin du râtelier et le mangions. Ou bien, quand son grand-père s'affairait autour de nous, elle babillait gaiement, disant que lorsqu'elle serait plus vieille et plus forte, quand les soldats seraient tous rentrés chez eux et que la guerre serait finie, elle nous monterait toute seule pour aller dans les bois – mais un seul à la fois! – et que, si seulement nous voulions rester avec elle pour toujours, nous ne manquerions jamais de rien.

Nous étions à présent des vétérans aguerris, Topthorn et moi, et c'est cela, peut-être, qui nous poussait à repartir chaque matin pour les tranchées au milieu du rugissement des obus, mais il y avait autre chose : notre espoir que ce soir nous serions de retour à l'écurie et que la petite Émilie serait là pour nous réconforter, pour nous aimer. C'était cela que nous attendions avec impatience, c'était à cela que nous aspirions. Tous les chevaux ont une tendresse instinctive pour les enfants : ils parlent plus doucement et leur taille exclut toute menace ; mais Émilie était pour nous une enfant pas comme les autres, car elle passait avec nous chaque minute qu'elle avait de libre et nous prodiguait son affection. Chaque soir, elle veillait tard en notre compagnie, nous bouchonnait, nous soignait les pieds. Et elle était debout à l'aube pour veiller à ce que nous soyons bien nourris avant que les infirmiers viennent nous chercher pour nous atteler à notre charrette-ambulance. Elle grimpait sur le mur à côté de la mare. Juchée là-haut, elle nous faisait des grands signes et, même si je ne pouvais jamais tourner la tête, je savais qu'elle restait là jusqu'à ce que nous ayons disparu au détour de la route. Et quand nous revenions le soir, elle était là aussi, joignant les mains, tout excitée à nous regarder tandis qu'on nous dételait.

Mais un soir, à l'entrée de l'hiver, elle ne fut pas là pour nous accueillir comme d'habitude. Ce jour-là, on nous avait menés plus dur que d'habitude, parce que les premières neiges interdisaient la route des tranchées à tous les véhicules sauf ceux à chevaux, et nous avions dû faire deux fois plus d'allers et retours pour ramener les blessés. Épuisés, affamés, assoiffés, nous fûmes reconduits à l'écurie par le grand-père d'Émilie, qui ne dit pas un mot, mais s'occupa de nous rapidement et traversa la cour en hâte pour rentrer à la maison. Topthorn et moi passâmes la soirée près de la porte de l'écurie à regarder la neige qui tombait doucement et la lumière vacillante de la maison. Avant même que le vieillard revienne et nous mette au courant, nous savions qu'il se passait quelque chose d'anormal.

Tard dans la soirée, il revint ; la neige craquait sous ses

pas. Il avait préparé les seaux de bouillie d'avoine chaude que nous avions pris l'habitude d'escompter. Il s'assit dans la paille, sous la lanterne et nous regarda manger.

– Elle prie pour vous, dit-il, en hochant lentement la tête. Savez-vous qu'elle prie pour vous chaque soir, avant de se coucher ? Je l'ai entendue. Elle prie pour son père et sa mère qui sont morts – ils ont été tués une semaine seulement après le début de la guerre. Un seul obus : il n'en faut pas plus. Et elle prie pour son frère qu'elle ne reverra jamais – il avait juste dix-sept ans. Et il n'a même pas de tombe. C'est comme s'il n'avait jamais vécu. Sauf dans notre esprit. Elle prie aussi pour moi, pour que la guerre épargne la ferme et nous laisse tranquilles. Et à la fin, elle prie pour vous deux. Deux choses, elle demande : d'abord, que vous sortiez tous les deux vivants de cette guerre et que vous viviez à un âge très avancé ; ensuite, si tel est le cas, son souhait le plus cher est d'être encore de ce monde pour rester avec vous. Elle a à peine treize ans, mon Émilie, et en ce moment elle est couchée là-haut dans sa chambre et je ne sais pas si elle passera la nuit. Le médecin allemand de l'hôpital me dit qu'elle a une pneumonie. C'est un assez bon médecin, bien qu'il soit allemand ; il a fait tout son possible. À présent, ça dépend de Dieu et, jusqu'ici, Dieu n'a pas trop bien réussi dans ma famille. Si elle part, si elle meurt, ma petite Émilie, alors la seule lumière qui me reste dans la vie s'éteindra.

Il nous regarda de ses yeux entourés de grosses rides et essuya les larmes de son visage.

– Si vous pouvez comprendre quelque chose à ce que je vous ai dit, alors priez pour elle ce dieu inconnu des chevaux auquel vous adressez vos prières ; priez pour elle, comme elle le fait pour vous.

Toute la nuit, il y eut de violents tirs d'artillerie, et les infirmiers vinrent nous chercher avant l'aube pour nous sortir dans la neige et nous atteler. Nous ne vîmes pas trace d'Émilie ni de son grand-père. Ce matin-là, en tirant la charrette dans la neige fraîche encore vierge, il nous fallut toutes nos forces rien que pour la haler jusqu'à la ligne de front. La neige déguisait parfaitement les ornières et les trous d'obus, si bien que nous nous retrouvions peinant pour nous dépêtrer des congères et, plus profond, de la boue qui cédait sous nos pas.

Nous réussîmes tout de même à atteindre les lignes, mais seulement avec l'aide des deux infirmiers qui sautaient à terre chaque fois que nous étions en difficulté, et faisaient tourner les roues à la main jusqu'à ce que nous soyons dégagés et que la charrette puisse se remettre en mouvement dans la neige.

Le poste de secours en arrière des lignes était bondé de blessés, et nous dûmes ramener une cargaison plus lourde que jamais auparavant mais, heureusement, le chemin du retour était presque tout le temps en descente. Soudain, quelqu'un se rappela que nous étions le matin de Noël, et ils se mirent à chanter durant tout le chemin de retour des noëls lents et harmonieux. La plupart des blessés avaient été aveuglés par les gaz; dans leur douleur, certains, tout en chantant, pleuraient leur vue perdue. Que d'allers et retours nous fîmes, ce jour-là! Et nous ne nous arrêtâmes que lorsque l'hôpital ne fut plus en mesure d'accepter d'autres personnes.

Quand nous arrivâmes à la ferme, il faisait déjà nuit, une nuit pleine d'étoiles. Le bombardement s'était arrêté; nulle fusée éclairante pour illuminer le ciel et éteindre les étoiles. Pas un seul coup de canon tandis que nous remontions le chemin de la ferme. La paix était revenue pour une nuit; une, en tout cas. Dans la cour, la neige était rendue craquante par le gel. Une lumière dansait dans notre écurie : le grand-père d'Émilie sortit dans la neige et prit nos rênes des mains de l'infirmier.

– C'est une belle nuit, dit-il en nous faisant entrer. C'est une belle nuit et tout va bien. Il y a de la bouillie d'avoine, du foin et de l'eau. Je vous ai donné un supplément, ce soir, pas parce que vous avez froid mais parce que vous avez prié. Il faut que vous ayez prié votre dieu des chevaux, parce que mon Émilie s'est réveillée à l'heure du déjeuner, elle s'est assise dans son lit, mais oui! et vous savez quelle est la première chose qu'elle a dite? Je vais vous le dire. Elle a dit : «Il faut que je me lève, il faut que je leur prépare leur bouillie d'avoine pour leur retour. Ils vont avoir froid. Ils seront fatigués.» C'est ça qu'elle a dit.

Le seul moyen qu'a trouvé ce médecin allemand pour la faire rester au lit, ça a été de vous promettre double ration ce soir. En plus, elle l'a fait promettre que ça continuerait comme ça tant qu'il y aurait ce temps froid. Aussi, mes beaux, entrez et mettez-vous-en plein la panse. On a tous eu notre cadeau de Noël, aujourd'hui, pas vrai ? Alors, tout va bien. Tout va bien.

Chapitre 11

Et tout devait continuer d'aller bien, au moins pour un temps, parce que la guerre, ce printemps-là, s'éloigna de nous tout d'un coup. Nous savions qu'elle n'était pas finie, car nous entendions toujours le grondement lointain du canon, et parfois des troupes défilaient par la cour de ferme, en route pour le front. Mais à présent, il y avait moins de blessés à ramener des tranchées, et on avait de plus en plus rarement besoin de nous pour faire la navette en tirant notre charrette-ambulance. Topthorn et moi, on nous mettait à paître presque tous les jours dans l'herbage près de la mare mais, comme les soirées étaient encore fraîches (il y avait de temps en temps de petites gelées), notre Émilie nous rentrait toujours avant la nuit. Elle n'avait pas besoin de nous conduire : il suffisait qu'elle nous appelle et nous venions.

Émilie était encore faible après sa maladie et, tout en s'affairant autour de nous dans l'écurie, elle toussait vraiment beaucoup. À présent, elle se hissait parfois sur mon dos, et moi, très très doucement, je faisais au pas le tour de la cour et m'engageais dans le pré, Topthorn suivant sur mes talons. Elle n'employait ni rênes, ni selle, ni mors ou éperons. Assise sur moi à califourchon, elle n'était pas tant ma maîtresse qu'une amie. Topthorn était tellement plus grand, plus large que moi qu'elle trouvait bien difficile de le monter et plus encore de mettre pied à terre. Quelquefois, je lui servais de marchepied pour atteindre Topthorn, mais c'était pour elle une manœuvre délicate et elle dégringola plus d'une fois au cours de ses tentatives.

Cependant, il n'y avait jamais aucune jalousie entre lui et moi : il se contentait fort bien d'aller à petits pas à nos côtés et de la prendre sur son dos quand elle en avait envie. Un soir nous étions au pré, nous abritant sous le marronnier de la nouvelle chaleur du soleil de l'été quand nous entendîmes le bruit d'un convoi de camions qui s'approchait de retour du front. Quand ils franchirent la barrière, les hommes nous interpellèrent et nous les reconnûmes. C'étaient les infirmiers, les infirmières et les médecins de l'hôpital de campagne. Quand le convoi fit halte dans la cour, nous arrivâmes au galop pour regarder par-dessus la barrière à côté de la mare. Émilie et son grand-père émergèrent de l'étable où ils trayaient les vaches et se plongèrent dans une grande conversation avec le médecin-major. Nous nous retrouvâmes inopinément assiégés par tous les infirmiers que nous avions fini par si bien connaître. Ils nous donnaient de petites tapes, nous lissaient le poil avec grandes démonstrations d'affection. Mais, étrangement, ils étaient tristes, en même temps. Émilie accourait vers nous en poussant des cris et des clameurs.

– Je savais que ça arriverait, dit-elle. Je le savais. J'ai prié pour que ça arrive et c'est bel et bien arrivé. Ils n'ont plus besoin de vous pour tirer leurs charrettes. Ils déplacent l'hôpital plus haut dans la vallée, mais ils n'ont pas l'intention de vous emmener avec eux. Ce gentil docteur a dit à grand-papa que vous pouviez rester tous les deux – c'est une espèce de paiement pour la charrette dont ils se sont servis et la nourriture qu'ils nous ont prise ; et aussi parce que c'est nous qui avons veillé sur vous durant tout l'hiver. Il a dit que vous pouviez rester et travailler à la ferme jusqu'à ce que l'armée ait encore besoin de vous, mais ça ne se produira jamais et, si ça devait arriver, je vous cacherais. On ne les laissera jamais vous emmener, pas vrai, grand-papa ? Jamais, jamais.

Ainsi, après les longs adieux mélancoliques, le convoi s'éloigna sur la route dans un nuage de poussière et nous demeurâmes seuls, en paix, avec Émilie et son grand-père. Une paix qui se révéla délicieuse, mais de courte durée.

À mon grand plaisir, je me retrouvai cheval de ferme. Topthorn attelé à côté de moi, nous nous mîmes au travail dès le lendemain. Faucher, faner. Quand Émilie protesta, après cette première longue journée aux champs, que son grand-père nous faisait travailler trop dur, il lui posa les mains sur les épaules et dit :

– Tu dis des sottises, Émilie. Ça leur plaît de travailler. Ils ont besoin de travailler. En plus, notre unique moyen de continuer à vivre, Émilie, est de continuer comme avant. Les soldats sont partis à présent et, si on fait semblant très fort, peut-être que la guerre disparaîtra complètement. On est forcés de vivre comme on a toujours vécu : faire les foins, ramasser nos pommes, travailler la terre. On ne peut pas vivre comme s'il ne devait pas y avoir de lendemain. On peut vivre seulement si on mange, et c'est de la terre que vient notre nourriture. Il faut travailler la terre si nous voulons vivre et, ces deux-là il faut qu'ils travaillent avec nous. Ils n'ont rien contre ; le travail, ça leur plaît. Regarde-les, Émilie, est-ce qu'ils ont l'air malheureux ?

Pour Topthorn, passer d'une charrette-ambulance à tirer à une faneuse, ce ne fut pas une transition difficile et il s'adapta sans peine ; quant à moi, ce fut un rêve que j'avais fait maintes fois depuis que j'avais quitté ma ferme du Devon. De nouveau, je travaillais avec des gens heureux et rieurs qui m'aimaient bien. Pendant la récolte, nous en mîmes un coup tous les deux pour tirer les lourds chariots de foin jusqu'aux granges où Émilie et son grand-père déchargeaient. Émilie continuait à veiller sur nous avec amour : chaque égratignure, chaque meurtrissure était soignée immédiatement et le grand-père avait beau discuter, elle ne lui permettait jamais de nous faire travailler trop longtemps. Cependant, le retour à une vie paisible de cheval de ferme n'était pas susceptible de durer longtemps. Pas en pleine guerre.

Presque tout le foin était rentré quand, un soir, les soldats revinrent. Nous étions à l'écurie lorsque nous entendîmes approcher un martèlement de sabots et un fracas de roues sur les pavés : la colonne entrait au trot dans la cour. Les chevaux étaient accouplés par six à de grosses pièces d'artillerie. Arrêtés à présent, l'effort les laissait soufflants et haletants sous le harnais. Chaque paire était montée par des hommes au visage dur et sévère sous la casquette grise. J'observai aussitôt que ce n'étaient plus là les aimables infirmiers qui nous avaient quittés tout juste quelques semaines plus tôt, mais des visages étranges et brutaux. Dans leurs yeux : une inquiétude, une fièvre inconnues. Peu d'entre eux semblaient rire ou simplement sourire. Ces hommes n'étaient point de la race de ceux que nous avions vus avant eux. Seul un soldat âgé, qui conduisait le caisson à munitions, s'approcha pour nous caresser et parler gentiment à la petite Émilie.

Après de brefs pourparlers avec le grand-père, la colonne d'artillerie bivouaqua pour la nuit dans notre prairie et abreuva les chevaux à notre mare. L'arrivée de ces nouveaux chevaux nous excitait, Topthorn et moi, et nous passâmes toute la soirée la tête par-dessus la porte de l'écurie, les appelant de nos hennissements ; mais la plupart d'entre eux avaient l'air trop fatigués pour nous répondre. Ce même soir, Émilie vint nous parler des soldats et nous vîmes qu'elle était inquiète, car elle ne parlait qu'à voix basse.

– Ça ne plaît pas à grand-papa de les voir ici. Il n'a pas confiance dans l'officier. Il dit qu'il a des yeux de guêpe et on ne peut pas se fier à une guêpe. Mais ils seront partis demain matin et, après ça, on sera à nouveau tranquilles.

Le lendemain matin de bonne heure, au moment où les ténèbres abandonnaient le ciel, un visiteur s'en vint à l'écurie. Un homme pâle et maigre, à l'uniforme poussiéreux, qui nous inspecta attentivement par-dessus la porte. Il avait les yeux à fleur de tête et perpétuellement fixes, ainsi que des lunettes cerclées de métal, à travers lesquelles il nous regardait intensément tout en hochant la tête. Il resta ainsi quelques minutes, puis s'en alla.

Quand il fit grand jour, la colonne d'artillerie était rassemblée dans la cour, prête à se mettre en marche. Il y eut des coups violents frappés avec insistance à la porte de la maison, et nous vîmes apparaître dans la cour Émilie et son grand-père : ils étaient encore en chemise de nuit.

– Vos chevaux, monsieur, déclara sans ambages l'officier à lunettes, je vais emmener vos chevaux avec nous. J'ai un attelage qui n'a que quatre chevaux, il m'en faut deux autres. Les vôtres paraissent être deux belles bêtes solides qui se débrouilleront vite. Nous les emmenons avec nous.

– Mais moi, comment est-ce que je peux faire marcher

la ferme sans mes chevaux ? demanda le grand-père d'Émilie. Ce sont seulement des chevaux de ferme, ils ne sauront pas tirer des canons.

– Monsieur, repartit l'officier, c'est la guerre et il me faut des chevaux pour mes canons. Je suis obligé de les prendre. Ce que vous faites dans votre ferme, c'est votre affaire ; moi, il me les faut, ces chevaux. L'armée en a besoin.

– Mais vous n'avez pas le droit, s'écria Émilie. Ce sont mes chevaux. Vous n'avez pas le droit de les prendre. Empêche-les, grand-papa ! Empêche-les ! Je t'en prie ! Empêche-les !

Le vieillard haussa tristement les épaules.

– Mais, ma petite, dit-il avec calme, qu'est-ce que je peux faire ? Comment est-ce que je pourrais les empêcher ? Est-ce que tu suggères que je les taille en pièces avec ma faux, ou que je les estoque à la hache ? Non, mon enfant, nous le savions bien, n'est-ce pas, que cela se produirait peut-être un jour. Nous en avons parlé assez souvent, n'est-ce pas ? Nous savions qu'ils partiraient un jour. Bon, maintenant, je ne veux pas de larmes devant ces gens-là. Il faut que tu sois fière et forte comme l'était ton frère, et je ne veux pas que tu flanches devant eux. Va dire adieu aux chevaux, et sois brave, Émilie.

La petite Émilie nous conduisit derrière l'écurie, nous passa le licol, en prenant bien soin d'arranger notre crinière pour qu'elle ne soit pas prise dans la corde. Puis elle leva les bras et nous les passa autour du cou, blottissant sa tête contre nous, chacun à tour de rôle, et pleurant doucement. Elle nous disait :

– Revenez. S'il vous plaît, revenez. Je mourrai si vous ne revenez pas.

Elle s'essuya les yeux et repoussa ses cheveux avant d'ouvrir la porte de l'écurie et de nous amener dans la cour. Elle marcha avec nous droit sur l'officier et lui tendit les brides.

– Il faudra me les rendre, dit-elle d'une voix forte à présent, presque farouche. Je vous les prête, seulement. Ce sont mes chevaux. C'est ici qu'ils sont chez eux. Nourrissez-les bien, prenez-en soin et veillez à les ramener.

Sur quoi, elle passa devant son grand-père et rentra dans la maison sans même se retourner.

Au moment où nous quittions la ferme, traînés à contre-cœur derrière le caisson à munitions, je me retournai et vis le grand-père d'Émilie, toujours planté dans la cour. Au milieu de ses larmes, il nous faisait signe de la main, et il souriait. Puis la corde me tira violemment le cou dans l'autre sens, et les secousses m'obligèrent à prendre le trot. Alors, je me rappelai la fois où jadis on m'avait attelé à une charrette et entraîné contre ma volonté. Mais cette fois, au moins, mon Topthorn était avec moi.

Chapitre 12

Ce fut peut-être en contraste avec ces quelques mois idylliques passés en compagnie d'Émilie et son grand-père que la suite se révéla une expérience si cruelle, si amère, pour Topthorn et moi-même ; ou peut-être ce fut simplement que la guerre devenait tout le temps plus terrible. À certains endroits maintenant, les canons s'alignaient à quelques mètres à peine les uns des autres sur des kilomètres et des kilomètres. Quand ils laissaient retentir leur furie, la terre même tremblait sous nos pieds. Les files de blessés semblaient interminables, et le paysage était ravagé sur des kilomètres en arrière des tranchées.

Certes, le travail n'était pas plus pénible qu'au temps où nous tirions la charrette-ambulance, mais aujourd'hui, ce n'était pas tous les soirs que nous allions à l'écurie. Enfin, bien sûr, nous ne pouvions plus compter sur la protection de notre Émilie. D'un coup, la guerre n'était plus lointaine. Nous étions de retour parmi le vacarme effroyable et la puanteur des combats, à haler notre pièce dans la boue, pressés, fouettés parfois, par des hommes qui manifestaient peu de souci ou d'intérêt pour notre bien-être, du moment que nous menions les canons là où ils devaient aller. Non pas que ces hommes fussent cruels mais, tout simplement, parce qu'ils semblaient mus à présent par quelque effroyable contrainte qui ne leur laissait aucun loisir d'être agréables ou prévenants les uns pour les autres, ou pour nous.

Désormais, la nourriture se faisait rare. Nous recevions notre ration de grain irrégulièrement à mesure que l'hiver arrivait de nouveau, et nous étions tous à la portion congrue pour le fourrage. Tous, nous perdions du poids et notre forme. Parallèlement, les batailles semblaient devenir plus furieuses et plus longues et nous travaillions davantage d'heures plus pénibles à tirer notre canon. Nous avions mal partout en permanence; nous avions froid en permanence. Nous finissions chaque journée couverts d'une boue glacée et ruisselante qui s'insinuait et nous gelait jusqu'aux os.

L'attelage du canon était un assemblage disparate de six chevaux. Sur les quatre auxquels nous nous adjoignîmes, un seul avait la taille et la force de tirer comme un cheval de l'artillerie – une espèce de malabar qu'on appelait Heinie et qui ne semblait absolument pas perturbé par tout ce qui se passait autour de lui. Le reste de l'attelage s'efforçait de suivre son exemple, mais seul Topthorn y parvenait. Heinie et Topthorn étaient les deux chevaux de tête ; moi, je me retrouvai attelé derrière Topthorn, en compagnie d'un petit cheval maigrichon et nerveux du nom de Coco. Il avait tout un assortiment de taches blanches sur la figure qui provoquait souvent l'amusement des soldats lorsque nous passions devant eux. En fait, il n'était pas drôle du tout, Coco – il avait le plus sale caractère de tous les chevaux que j'ai rencontrés, avant lui ou après. Lorsque Coco était en train de manger, personne, homme ou cheval, ne se risquait assez près par peur de se faire mordre ou de recevoir une ruade. Derrière nous, il y avait deux chevaux plus petits : des poneys bruns à crinière et queue couleur de lin. Personne n'arrivait à les distinguer ; même les soldats ne les appelaient pas par leur nom mais les désignaient seulement comme « les deux Haflinger blonds ». Comme ils étaient très jolis et d'une gentillesse inaltérable, les canonniers leur accordaient pas mal d'attention et même une certaine affection. Ils devaient être un spectacle incongru mais réconfortant pour les soldats fatigués, lorsque nous traversions au trot les villages en ruine pour monter au front. Sans aucun doute, ils travaillaient aussi dur que nous tous et, malgré leur taille minuscule, ils nous valaient largement en résistance ; toutefois, au petit galop, ils faisaient frein, nous ralentissaient et rompaient le rythme de l'attelage.

Assez curieusement, ce fut le gigantesque Heinie qui

manifesta les premiers signes de faiblesse. Au cours de cet hiver abominable, la boue glacée qui cédait sous les pas et le manque de bon fourrage se mirent à consumer sa massive carcasse et le réduisirent en quelques mois à n'être plus qu'une misérable créature efflanquée. Aussi, à mon grand plaisir, je dois l'avouer, on me fit passer dans la paire de tête, en compagnie de Topthorn ; Heinie rétrogradant maintenant pour tirer à côté du petit Coco qui, lui, avait amorcé cette épreuve avec peu de forces en réserve. Ils dépérirent rapidement l'un et l'autre, jusqu'au jour où ils ne furent plus bons qu'à tirer en terrain plat et ferme. Comme nous ne rencontrions pratiquement jamais ce genre de terrain, bientôt ils ne servirent plus à grand-chose dans l'attelage et rendirent la tâche beaucoup plus ardue à tous les autres.

C'était toutes les nuits que nous passions dans les lignes, enfonçant jusqu'aux paturons dans la boue gelée. Conditions bien pires que celles de ce premier hiver de guerre où Topthorn et moi étions chevaux de cavalerie. À l'époque, chaque cheval avait son cavalier qui faisait tout son possible pour s'occuper de lui et le réconforter, mais aujourd'hui, la priorité des priorités, c'était le canon ; nous, nous passions bien loin après. Nous n'étions que des bêtes de somme et traités comme telles. Les canonniers eux-mêmes avaient le visage gris d'épuisement et de faim. Tout ce qui comptait pour eux à présent, c'était de survivre. Seul le brave vieux canonnier que j'avais remarqué le premier jour où on nous avait enlevés de la ferme semblait trouver le temps de rester auprès de nous. Il nous nourrissait de morceaux rassis d'un pain noir qui s'émiettait, et passait plus de temps avec nous qu'avec ses camarades de régiment qu'il semblait éviter le plus possible. C'était un petit bonhomme malpropre et corpulent qui riait constamment tout seul et se parlait davantage à lui-même qu'à qui que ce soit d'autre.

Les effets de notre vie perpétuellement exposée au froid, aux intempéries, à la sous-alimentation, au travail pénible, étaient à présent tangibles chez nous tous. Peu d'entre nous avaient encore du poil qui poussait sur la partie inférieure des jambes et, par en dessous, la peau n'était que plaies ouvertes. Même les Haflinger, ces petits durs, commencèrent à perdre leur forme. Comme aux autres, chaque pas que je faisais me causait une douleur atroce, particulièrement dans mes jambes de devant qui se crevassaient sérieusement à partir des genoux. Il n'y avait pas un cheval de tout l'attelage qui ne marchât en boitant. Les vétérinaires nous soignaient de leur mieux, et même les plus indifférents des canonniers parurent perturbés à mesure que notre état empirait. Mais personne n'y pouvait rien tant que la boue n'aurait pas disparu.

Les vétérinaires du régiment hochaient la tête de désespoir et retiraient du service les chevaux dont on pouvait se passer pour qu'ils se reposent et récupèrent ; mais certains étaient en si piteux état qu'on les emmenait pour les abattre sur-le-champ après la visite du vétérinaire. Tel fut le sort de Heinie un beau matin. Nous passâmes devant lui : il gisait dans la boue, épave affalée du cheval qu'il avait été ; il en fut de même pour Coco, atteint au cou par les shrapnels et qu'il fallut achever à l'endroit même où il gisait, sur le bord de la route. J'avais beau l'avoir détesté – il était vicieux, cet animal –, c'était un spectacle pitoyable et terrible de voir un de mes semblables avec qui j'avais tiré le canon si longtemps, abandonné et oublié ainsi dans un fossé.

Les petits Haflinger demeurèrent avec nous tout au long de l'hiver, bandant de toutes leurs forces leur large dos et tirant les traits avec le maximum d'énergie qu'ils pouvaient réunir. Ils étaient doux et gentils tous les deux et n'avaient pas deux sous d'agressivité dans leur âme courageuse. Topthorn et moi, nous finîmes par les aimer tendrement. Vint leur tour de faire appel à nous, à notre soutien, à notre amitié : nous leur accordâmes l'un et l'autre bien volontiers.

Je notai pour la première fois que Topthorn déclinait lorsque le canon se fit plus lourd à tirer qu'auparavant. Nous étions en train de passer le gué d'un petit cours d'eau : les roues du canon s'enlisèrent dans la boue. Je me tournai vivement et regardai Topthorn : je le vis qui peinait tout à coup, je vis son pas fléchir. Ses yeux me racontaient la souffrance qu'il endurait, alors, moi, je me mis à tirer d'autant plus dur pour qu'il puisse relâcher ses efforts.

Cette nuit-là, alors que la pluie nous tombait à verse sur le dos, je restai debout à veiller sur lui qui s'était couché dans la boue. Il n'était pas couché sur le ventre comme à son habitude, mais il était allongé sur le flanc ; de temps en temps, il levait la tête quand il était secoué de quintes de toux. Il toussa toute la nuit par intermittence et eut un sommeil agité. Je m'inquiétai à son sujet, nichai mon nez contre lui et le léchai pour tenter de lui tenir chaud et le rassurer : il n'était pas tout seul avec son mal. Je me consolai à la pensée que je n'avais jamais vu un cheval de la puissance et de la résistance de Topthorn, et qu'il devait avoir des réserves d'une énergie considérable où puiser, dans sa maladie.

Et, bien sûr, le lendemain matin, il était sur pied avant même que les canonniers ne soient venus nous distribuer notre ration de grain. Il portait la tête plus basse qu'à l'ordinaire et n'avançait que pesamment mais je vis qu'il aurait la force de survivre, pour peu qu'il pût se reposer.

Toutefois, je remarquai que lorsque le vétérinaire vint ce jour-là faire sa visite dans les lignes, il regarda Topthorn longtemps et avec grande attention, et il lui ausculta soigneusement la poitrine.

– C'est un costaud, celui-là, l'entendis-je dire à l'officier aux lunettes, un homme que nul n'aimait, ni chevaux ni soldats. On voit ici la fine race, trop fine peut-être, mon commandant, et ce pourrait bien être sa perte. Trop racé pour traîner un canon. Je voudrais bien l'exempter, mais vous n'avez pas de cheval à mettre à sa place, n'est-ce pas ? Il peut continuer, j'imagine, mais allez-y doucement avec lui, mon commandant. Menez l'attelage aussi lentement que vous pourrez, sinon vous n'aurez plus d'attelage du tout et, sans attelage, votre canon ne vous servira pas à grand-chose, pas vrai ?

– Il faudra qu'il fasse ce que font les autres, docteur, repartit le commandant d'un ton inflexible. Pas plus, pas moins. Je ne peux pas faire d'exception. Si vous le déclarez apte, il est apte. Point final.

– Il est en état de continuer, dit le vétérinaire de mauvaise grâce. Mais je vous préviens, mon commandant : vous devrez faire attention.

– Nous faisons ce que nous pouvons, dit le commandant, coupant court à l'entretien.

Et, pour être honnête, c'était la vérité. C'était la boue qui nous tuait l'un après l'autre ; la boue, le manque d'abri et le manque de nourriture.

Chapitre 13

Ainsi donc, Topthorn aborda le printemps gravement affaibli par sa maladie et toujours avec une toux rauque, mais il avait survécu. Tous les deux, nous avions survécu. On avançait à présent sur un sol ferme, l'herbe repoussait dans les champs, en sorte que nous commençâmes à nous remplumer. Notre robe perdit son aspect lépreux de l'hiver et retrouva son lustre sous le soleil. Un soleil qui luisait aussi sur les soldats, dont les uniformes gris et rouge demeuraient plus propres. Ils se rasaient plus souvent, à présent, et, comme à chaque printemps, ils se remettaient à parler de la fin de la guerre, de chez eux, disant qu'avec la prochaine attaque tout serait fini et qu'ils reverraient bientôt leur famille. Ils étaient plus heureux ; donc, ils nous traitaient beaucoup mieux. Même les rations s'améliorèrent, comme le temps, et notre attelage se remit en route avec une décision et un enthousiasme nouveaux. Les bobos disparurent de nos jambes ; tous les jours, nous avions le ventre plein, toute l'herbe que nous étions capables de manger et de l'avoine en abondance.

Derrière nous, les deux petits Haflinger s'époumonaient et s'ébrouaient. Ils nous firent honte à Topthorn et à moi et nous forcèrent à prendre le galop – chose dont nous avions été incapables tout l'hiver, et nos cavaliers s'étaient pourtant évertués à nous y inciter de leur fouet. Notre santé retrouvée, l'optimisme des soldats qui chantaient et sifflaient, tout cela nous mit à nouveau d'humeur exubérante, tandis que nous roulions nos canons par les chemins défoncés pour les amener en position.

Mais il était dit que, cet été-là, il n'y aurait pas de combats pour nous. Toujours des coups de feu et des obus sporadiques, oui, mais, des deux côtés, on se contentait apparemment de montrer les dents et de se menacer, sans jamais en venir aux prises. Plus loin, nous entendions, bien sûr, d'un bout à l'autre du front, la fureur renouvelée de l'offensive de printemps, mais on n'eut pas besoin de nous pour déplacer les pièces et nous passâmes l'été dans une paix relative, un peu en retrait des lignes. L'oisiveté, l'ennui même s'instaurèrent, tandis que nous restions à brouter l'herbe grasse des prés remplis de boutons-d'or et, pour la première fois depuis notre arrivée à la guerre, nous nous mîmes même à engraisser. C'est peut-être parce que nous étions trop gros qu'on nous désigna, Topthorn et moi, pour tirer la charrette de munitions du terminus du chemin de fer, situé à quelques kilomètres, jusqu'aux positions d'artillerie. Nous nous retrouvâmes ainsi sous les ordres du bon soldat âgé qui avait été tellement chic pour nous durant tout l'hiver. Tout le monde l'appelait Friedrich-le-Fou. On le croyait fou parce qu'il parlait tout seul sans discontinuer et que, même lorsqu'il ne parlait pas, il riait aux éclats de quelque plaisanterie personnelle que jamais il ne partageait avec personne. Friedrich-le-Fou, c'était le vieux soldat à qui on assignait les tâches dont personne ne voulait, parce qu'il était toujours prêt à rendre service, et tout le monde le savait.

Dans la chaleur et la poussière, le travail était rude et ennuyeux ; il nous fit perdre rapidement notre poids superflu et recommença à miner nos forces. La charrette était toujours trop lourde à tirer, parce que, malgré les protestations de Friedrich, les gars du chantier d'embarquement insistaient toujours pour charger autant d'obus que possible. Ils lui riaient bel et bien au nez, ne faisaient pas attention à lui et continuaient à empiler leurs obus. Quand on retournait à nos positions, Friedrich montait toujours les côtes à pied, nous conduisant lentement, car il savait, lui, comme le chariot devait être lourd. Nous faisions fréquemment halte pour nous reposer et nous abreuver et il s'assurait bien que nous avions davantage à manger que les autres chevaux qui, durant tout l'été, demeurèrent au repos.

Nous finîmes par attendre avec impatience chaque matin où Friedrich venait nous chercher dans notre champ et nous mettait le harnais : nous laissions derrière nous le bruit et l'agitation du camp. Nous découvrîmes bientôt que Friedrich n'était pas fou le moins du monde, mais, simplement, que c'était un homme bon et doux dont tout l'être criait sa révolte d'avoir à combattre dans une guerre. Tandis que nous allions notre bonhomme de chemin vers le chantier d'embarquement, il nous confia que tout ce qu'il désirait c'était retourner à sa boucherie de Schleiden, et que s'il parlait tout seul c'est parce qu'il était le seul à se comprendre et, même, à vouloir écouter ce qu'il disait.

– Si je ris tout seul, ajoutait-il, c'est que je pleurerais si je ne riais pas.

Un jour, il nous déclara :

– Moi, je vous le dis, mes amis ; je vous dis que je suis le seul homme sain d'esprit de ce régiment. C'est les autres qui sont fous, mais ils ne le savent pas. Ils font la guerre et ils ne savent pas pourquoi. C'est pas de la folie, ça ? Comment un homme peut-il en tuer un autre, sans vraiment savoir pour quelle raison, si ce n'est qu'il porte un uniforme d'une autre couleur et parle une langue différente ? Et c'est moi qu'on trouve fou ! Vous deux, vous êtes les seules créatures raisonnables que j'ai rencontrées dans cette guerre absurde ; comme moi, la seule raison pour laquelle vous êtes ici, c'est qu'on vous y a amenés.

Si j'avais le courage – je ne l'ai pas –, on filerait par cette route et on ne reviendrait jamais. Mais, dans ce cas-là, je serais fusillé quand on m'attraperait, et ma femme, mes enfants, mon père et ma mère en porteraient la honte à tout jamais. Les choses étant ce qu'elles sont, je vais me faire passer pour Friedrich-le-Fou jusqu'à la fin de la guerre : comme ça, je pourrai retourner à Schleiden et redevenir Friedrich-le-Boucher que tout le monde connaissait et respectait avant que cette merde ait commencé.

Il devint visible, au fil des semaines, que Friedrich se prenait d'une affection particulière pour Topthorn. Sachant qu'il avait été malade, il lui consacrait plus de temps et d'attentions. Il soignait la moindre petite blessure avant qu'elle puisse se développer et rendre la vie inconfortable à Topthorn. Il était également gentil pour moi, mais je crois qu'il n'eut jamais le même attachement à mon égard. Je remarquais que, souvent, il prenait un peu de recul rien que pour contempler Topthorn avec des yeux brillants d'amour et d'admiration. Apparemment, il existait entre eux une complicité totale, une complicité entre deux vétérans.

L'été laissa lentement la place à l'automne ; il devint clair alors que notre vie avec Friedrich tirait à sa fin. Mais, à présent, son attachement à Topthorn était tel qu'il se porta volontaire pour le monter durant l'entraînement à l'attelage au canon, qui devait précéder la campagne d'automne. Naturellement, tous les canonniers rirent de cette proposition, mais ils étaient toujours à court de bons cavaliers – d'ailleurs, personne ne niait qu'il était bon cavalier – si bien que nous nous retrouvâmes encore une fois chevaux de tête, avec Friedrich-le-Fou qui montait Topthorn. Nous avions enfin trouvé un ami véritable, quelqu'un à qui nous fier sans réserve.

– Si je dois mourir ici, loin de chez moi, confia un jour Friedrich à Topthorn, j'aimerais autant que ce soit à côté de toi. Mais je vais faire mon possible pour qu'on s'en tire tous et qu'on rentre chez nous, je te promets au moins ça.

Chapitre 14

Aussi Friedrich chevauchait-il en notre compagnie, par cette journée d'automne où nous retournâmes à la guerre. À midi, les artilleurs se reposaient à l'ombre d'une grande châtaigneraie couvrant les deux rives d'une rivière au scintillement argenté où s'ébattaient quantité de soldats rieurs. En nous engageant parmi les arbres et tandis qu'on détachait les canons, je vis que tout le bois était plein de soldats au repos : leur casque, leur paquetage, leur fusil étaient par terre à côté d'eux. Ils étaient assis le dos contre un arbre et fumaient. Ou bien, ils étaient couchés de tout leur long sur le dos et dormaient.

Comme nous l'avions prévu, ils vinrent bientôt en foule pour faire des amitiés aux deux Haflinger blonds; toutefois, un jeune soldat s'approcha de Topthorn et resta à le regarder, son visage franchement admiratif.

– Ça alors, c'est un cheval, fit-il, appelant son camarade. Viens voir celui-là, Karl. As-tu jamais vu une plus belle bête? Il a la tête d'un arabe. Tu vois la rapidité d'un pur-sang anglais dans les jambes, et la force d'un hano-vrien dans le dos et l'encolure.

Il allongea le bras et frotta doucement de son poing le nez de Topthorn.

– Est-ce que ça t'arrive de penser à autre chose qu'aux chevaux, Rudi ? repartit son compagnon, qui resta à distance. Ça fait trois ans que je te connais et il ne se passe pas un jour sans que tu fasses des discours sur ces sacrées bêtes. Je sais bien que tu as été élevé avec eux dans une ferme, mais je ne comprends toujours pas ce que tu leur trouves : quatre pattes, une tête, une queue, c'est tout ; commandées par une toute petite cervelle incapable de penser plus loin qu'à boire et à manger.

– Comment peux-tu dire ça ? fit Rudi. Mais regarde-le, Karl ! Tu ne vois pas qu'il a quelque chose de spécial ? Celui-là, ça n'est pas un cheval comme les autres. Dans ses yeux il y a de la noblesse, et une sérénité royale chez lui. Est-ce qu'il n'incarne pas tout ce que les hommes cherchent à être sans y parvenir ? Je te le dis, mon ami, dans un cheval il y a quelque chose de divin, particuliè-rement dans un cheval comme celui-ci. Dieu a vu juste le jour où il les a créés, les chevaux. Et trouver un cheval pareil au milieu de cette saloperie de guerre, pour moi, c'est comme trouver un papillon sur un tas de fumier. Nous n'appartenons pas au même univers qu'une telle créature.

À mes yeux, les soldats paraissaient devenir de plus en plus jeunes au fil de la guerre et, certes, Rudi ne faisait pas exception. Sous ses cheveux ras, encore humides d'avoir porté le casque, il avait l'air d'avoir à peine l'âge de mon Albert, tel que je me le rappelais. Et comme tant d'entre eux, il ressemblait, sans son casque, à un enfant déguisé en soldat.

Quand Friedrich nous fit descendre à la rivière pour nous abreuver, Rudi et son ami nous accompagnèrent. Topthorn, à côté de moi, plongea la tête dans l'eau et la secoua vigoureusement, à son habitude, m'aspergeant ainsi toute la figure et le cou et m'apportant un plaisant soulagement à la chaleur. Il but longtemps, à longs traits ; après quoi, nous demeurâmes ensemble quelques instants au bord de la rivière, à regarder les soldats batifoler dans l'eau. La côte, qui remontait à travers bois, était raide et pleine d'ornières ; aussi, il n'y avait rien de surprenant à ce que Topthorn trébuchât une ou deux fois – il n'avait jamais eu le pied aussi sûr que moi – mais à chaque fois, il retrouva l'équilibre et continua à remonter la côte à mes côtés. Je remarquai toutefois qu'il avançait avec lassitude et lenteur, que chaque pas lui coûtait de plus en plus d'efforts. Sa respiration se fit brusquement haletante et rauque. Puis, alors que nous approchions de l'ombre des arbres, il s'affaissa sur les genoux et ne se releva pas. Je m'arrêtai un moment pour lui donner le temps, mais il ne se releva pas, gisant là où il était, respirant péniblement. À un moment, il leva la tête pour me regarder. C'était un appel au secours : je le lus dans ses yeux. Puis, il s'effondra, la face contre terre, roula sur lui-même et demeura absolument immobile. Il avait la langue pendante et ses yeux me regardaient sans me voir. Je me penchai pour le pousser avec mon nez, pesant sur l'encolure dans un effort frénétique afin qu'il bouge, qu'il s'éveille. Mais je savais d'instinct qu'il était déjà mort et que j'avais perdu mon ami le meilleur, le plus cher. Rudi était à genoux, près de lui, l'oreille collée sur la poitrine de Topthorn. Il s'assit sur les talons, hochant la tête, et leva les yeux vers le groupe de soldats qui s'étaient à présent attroupés autour de nous.

– Il est mort, dit calmement Friedrich, puis, avec colère : il est mort, bon Dieu !

Son visage était chargé de tristesse.

– Pourquoi ? ajouta-t-il. Pourquoi est-ce qu'il faut que cette guerre détruise n'importe quoi, détruise tout ce qui est bien, tout ce qui est beau ?

Il posa les mains sur ses yeux et Rudi le remit sur pied avec douceur.

– Tu n'y peux rien, mon vieux, dit-il. Lui, il est loin de tout ça. Allez, viens.

Mais le vieux Friedrich ne voulut pas se laisser emmener. Moi, je retournai une fois encore à Topthorn, à l'endroit où il gisait : je le léchais toujours et mettais mon nez contre lui ; mais à présent, je connaissais et, en vérité, comprenais le caractère définitif de la mort, même si, dans ma douleur, tout ce que j'éprouvais c'était le désir de rester avec lui pour le réconforter.

L'officier vétérinaire attaché à la troupe dévala la côte, suivi de tous les officiers et les hommes qui venaient d'apprendre ce qui s'était passé. Après un rapide examen, lui aussi déclara que Topthorn était mort.

– Je m'en doutais. Je vous l'avais dit, marmonna-t-il pour lui-même. Ils ne peuvent pas y arriver. Je constate ça sans arrêt. Trop de travail, pas assez de nourriture ; vivre dehors tout l'hiver. Je constate ça sans arrêt. Il y a des limites à ce qu'un cheval comme celui-là peut supporter. C'est le cœur qui a lâché, pauvre bête. Chaque fois que ça arrive, ça me met hors de moi. On ne devrait pas traiter des chevaux pareillement, on traite mieux nos engins.

– C'était un ami, dit Friedrich avec simplicité, en s'agenouillant à nouveau.

Il se pencha sur Topthorn et lui ôta son collier. Les soldats se tenaient tout autour de nous, dans un silence absolu, regardant la forme prostrée de Topthorn, en un instant spontané de respect et de tristesse. Parce que, peut-être, ils l'avaient connu longtemps et que, d'une certaine manière, il avait finalement fait partie de leur vie.

Nous étions là, muets, à flanc de coteau, lorsque j'entendis miauler le premier obus au-dessus de nous et vis la première explosion lorsqu'il atterrit dans la rivière.

D'un coup, le bois s'anima : les soldats poussaient des cris et se précipitaient, les obus tombaient partout autour de nous. Les hommes, dans la rivière, hurlants et à demi nus, remontaient en courant se mettre sous les arbres et les obus semblaient les suivre. Les arbres s'écrasaient au sol, chevaux et soldats s'échappaient du bois en courant dans la direction de la crête qui nous surplombait.

Mon premier mouvement fut de courir avec eux pour échapper au bombardement ; mais Topthorn gisait mort à mes pieds, je ne voulais pas l'abandonner. Friedrich qui me tenait, à présent, essaya tant qu'il put de me tirer, de m'entraîner là-haut, derrière la crête ; il me criait, il me hurlait de venir si j'avais envie de rester vivant ; mais nul ne peut faire bouger un cheval qui ne veut pas bouger, et moi je ne voulais pas partir. Le bombardement s'intensifiait, Friedrich se trouvait de plus en plus isolé de ses camarades dont la nuée escaladait la côte et disparaissait. Alors, il lâcha mes rênes et tenta l'échappée. Mais il était trop lent et partit trop tard. Il n'atteignit même pas les bois. Il fut cloué à quelques pas à peine de Topthorn, roula sur lui-même jusqu'en bas de la côte et s'immobilisa à côté de lui. J'eus une dernière vision de mon régiment : les crinières blanches qui dansaient des deux petits Haflinger luttant pour hisser le canon entre les arbres, tandis que les canonniers tiraient comme des fous sur leurs rênes et poussaient de toutes leurs forces le canon par-derrière.

Chapitre 15

Je demeurai près de Topthorn et de Friedrich toute la journée et jusque dans la nuit, ne les quittant qu'une fois pour aller boire rapidement à la rivière. Le bombardement se déplaçait, d'un côté puis de l'autre, le long de la vallée, projetant une pluie d'herbes, de terre et d'arbres dans les airs et laissant derrière lui des cratères fumants, comme si la terre même était en feu. J'aurais certes pu avoir peur, mais un sentiment puissant de tristesse et d'amour me submergeait, me contraignant à rester avec Topthorn aussi longtemps que je pourrais. Je savais que, l'ayant quitté, je serais à nouveau seul au monde, que je n'aurais plus sa force et son soutien à mes côtés. Aussi, je restais avec lui. J'attendais.

Je me souviens : c'étaient presque les premières lueurs du jour, je broutais l'herbe près de l'endroit où ils gisaient lorsque j'entendis, parmi le fracas et le gémissement des obus, une plainte de moteur, accompagnée d'un bruit de ferraille terrifiant qui me fit coucher les oreilles contre mon crâne. Cela venait de par-dessus la crête, dans la direction où les soldats avaient disparu : un grincement, un rugissement qui se rapprochait toujours plus à chaque minute et redoubla encore quand le bombardement mourut tout à fait.

Bien qu'à l'époque je ne sache pas que c'en était un, le premier char que j'aie jamais vu émergea au-dessus de la crête de la colline, la froide lumière de l'aube derrière lui ; un gros monstre gris et balourd, qui crachait de la fumée par l'arrière, tandis qu'en bringuebalant il descendait la pente dans ma direction. Je n'hésitai que quelques instants avant qu'une terreur aveugle ne m'arrachât à la présence de Topthorn pour me faire détaler en bas, jusqu'à la rivière. Je m'y précipitai violemment, sans même savoir si j'aurais pied ou non, et je me retrouvai à mi-hauteur de la colline boisée sur l'autre rive, avant d'oser m'arrêter et me retourner pour voir s'il me poursuivait toujours. Je n'aurais jamais dû regarder, car ce monstre était devenu plusieurs monstres, qui roulaient inexorablement vers moi : ils avaient déjà dépassé l'endroit où gisaient Topthorn et Friedrich sur ce flanc de coteau ravagé. J'attendis, en sécurité, croyais-je, à l'abri des arbres et regardai les chars passer à gué la rivière ; puis je me détournai une fois de plus et repris ma course.

Je courais je ne savais où. Je courus jusqu'à ce que je n'entende plus cet abominable bruit de ferraille et que les canons me semblent très loin. Je me rappelle avoir franchi une autre rivière, traversé au galop des cours de fermes désertes, sauté des clôtures, des fossés, des tranchées, fait claquer mes sabots par les ruines désertes de villages, pour enfin me retrouver à paître, ce soir-là, dans quelque grasse prairie tout humide et m'abreuver de l'eau d'un clair ruisseau au lit plein de cailloux. Enfin, mon extrême fatigue prit le dessus, me coupa les jambes, et je fus contraint de me coucher et dormir.

Quand je me réveillai, il faisait nuit et, une fois de plus, les canons tonnaient de tous les côtés. Apparemment, j'avais beau regarder en tous sens, le ciel était illuminé par l'éclair jaune des tirs d'artillerie et les feux blancs intermittents qui me faisaient mal aux yeux et répandaient un plein jour éphémère sur la campagne alentour. Quelque direction que je choisisse, j'irais forcément vers les canons. Je me disais qu'il valait donc mieux rester où j'étais. Ici, du moins, j'avais de l'herbe à profusion et de l'eau à boire.

Je venais de décider d'agir précisément ainsi lorsqu'une lumière blanche explosa au-dessus de ma tête, le tac-tac-tac d'une mitrailleuse déchira l'air nocturne et les balles se fichèrent en sifflant dans le sol, à côté de moi. Je me remis à courir, je m'enfonçai dans la nuit en courant ; je manquai fréquemment de tomber dans les fossés et les haies, jusqu'au moment où les champs furent sans herbe et les arbres de simples moignons se détachant sur l'horizon en feu. Partout, je rencontrai maintenant de grands cratères pleins d'une eau noire et stagnante.

En sortant d'un pas mal assuré de l'un de ces cratères, j'allai me jeter lourdement sur un rouleau de barbelé invisible, qui commença par accrocher ma jambe de devant, puis la prit au piège. En donnant comme un fou des coups de pied pour me dégager, je sentis les pointes s'enfoncer et me déchirer. Dès lors, je ne fus plus capable que d'avancer lentement, en boitant, et je tâtai le terrain devant moi. Même dans ces conditions, je dus faire des kilomètres. Où allais-je? D'où venais-je? Je ne le saurais jamais. Sans arrêt, la douleur dans ma jambe battait et, de toutes parts, les grosses pièces tonnaient et les fusils crachaient leur feu dans les ténèbres. Saignant, meurtri et terrifié d'incroyable façon, je n'avais qu'un désir : être à nouveau avec Topthorn. Lui saurait de quel côté aller, me disais-je. Lui, il saurait. Je poursuivis cahin-caha dans les ténèbres, guidé par la seule conviction que là où la nuit était la plus noire, là seulement je serais peut-être un peu à l'abri des obus. Derrière moi, le tonnerre et le feu du bombardement étaient d'une intensité si effroyable – changeant l'épaisse noirceur de la nuit en un jour monstrueux – que je ne pouvais envisager de rebrousser chemin, bien que je fusse certain que c'était par là que gisait Topthorn. Devant moi, ça tirait un peu ; des deux côtés aussi, mais j'apercevais au loin l'horizon obscur d'une nuit sans tumulte et ce fut par là que j'avançai sans broncher.

Sous l'effet du froid de la nuit, ma jambe blessée devenait de plus en plus raide et, à présent, rien qu'à la soulever j'avais mal. Très vite, je me rendis compte que je ne pouvais plus du tout peser dessus. Cette nuit devait être la nuit la plus longue de ma vie, un cauchemar de souffrance, de terreur et de solitude. Je suppose que seul un puissant instinct de survie me poussa à marcher encore et me soutint sur mes pieds. Je pressentais que ma seule chance, c'était de mettre la plus grande distance possible entre moi et le bruit de la bataille ; donc, il fallait que je n'arrête pas de marcher. De temps en temps, les coups de feu des fusils et des mitrailleuses claquaient tout autour de moi et je restais planté là, paralysé par la peur, dans la terreur de bouger dans une direction quelconque tant que n'avait pas cessé la fusillade et que mes muscles refusaient de fonctionner.

Pour commencer, je constatai que du brouillard traînait seulement au fond des cratères que je dépassais mais, au bout de quelques heures, je me retrouvai de plus en plus enveloppé par les nappes d'un brouillard d'automne à travers lesquelles je ne discernais plus qu'ombres vagues ou formes sombres et claires. Presque incapable de rien voir, à présent, je me guidais totalement sur les rugissements et les grondements sourds du bombardement ; je les laissais constamment derrière moi et me déplaçais vers cet univers plus sombre, plus silencieux qui était devant moi.

L'aube éclaircissait déjà la noirceur du brouillard, lorsque j'entendis devant moi un chuchotement de voix excitées. Je restai complètement immobile, à écouter, écarquillant les yeux pour découvrir ceux à qui elles appartenaient.

– Au boulot! Maniez-vous! Maniez-vous, les gars!

Le brouillard étouffait les voix. Il y eut un bruit de pas précipités et de fusils qui dégringolaient.

– Ramasse-le, vieux, ramasse-le. À quoi tu joues? Maintenant, nettoie-moi ce fusil et que ça saute!

Suivit un long silence; j'avançai avec circonspection en direction des voix, à la fois attiré et terrorisé.

– Là! encore! J'ai vu quelque chose, sergent. Parole!

– Et alors, qu'est-ce que c'était, p'tit? Toute cette foutue armée allemande, ou un ou deux types qui faisaient une balade matinale?

– C'était pas un homme, sergent, c'était même pas un Allemand. Pour moi, ça avait plutôt l'air d'un cheval ou d'une vache.

– Une vache? Un cheval? Là, comme ça, dans le no man's land? Mais, bon sang de bonsoir, comment est-ce que tu crois qu'il serait arrivé là? Tu t'es couché trop tard, mon gars. Y a tes yeux qui te font des farces!

– Et pis j'l'ai entendu, en plus, sergent. Parole, sergent; j'en mets ma main au feu!

– Eh ben, moi, j'vois rien du tout. J'vois rien de rien,

mon gars, et c'est parc'que y a rien à voir ici. T'as la trouille, mon gars, et à cause de ça, le foutu bataillon est parti au turbin une heure trop tôt. Et qui est-ce qui va être un p'tit gars bien populaire quand j'vais raconter tout ça au lieutenant, hein? Tu lui as gâché son premier sommeil, le meilleur, à c'qu'on dit; pas vrai, mon bonhomme? T'es allé réveiller tous ces mignons : les capitaines, les commandants, les généraux de brigade, tous ces braves sergents, etc., etc. Tout ça parce que t'as cru voir un sacré bon dieu de cheval !

Puis, d'une voix plus forte, avec l'intention qu'elle porte plus loin :

– Mais, puisqu'on est tous sur pied, qu'il y a une purée de pois comme dans cette saleté de Londres, voyant aussi comme les Boches ont envie de venir bousiller nos petits gourbis, juste au moment où on peut pas les voir arriver, j'veux que vous vous décrassiez bien les mirettes, les gars, et qu'elles soient en face des trous. Comme ça, on vivra assez vieux pour prendre notre petit déjeuner – si ça arrive ce matin. Dans une minute, on va prendre une ration de rhum – ça vous dopera – mais, d'ici là, j'veux qu'vous ouvriez l'œil, et le bon !

Tandis qu'il parlait, je m'éloignai en boitant. Je me sentais trembler de la tête à la queue, dans l'attente épouvantée de la prochaine balle, du prochain obus. Tout ce que je voulais, c'était être seul, loin de tous les bruits, qu'ils aient l'air menaçants ou pas. Dans mon état de faiblesse et d'effroi, tout bon sens m'avait abandonné et j'errais à présent dans le brouillard, jusqu'au moment où mes vaillantes jambes furent incapables de me traîner plus loin. Je m'arrêtai enfin et reposai ma jambe qui saignait sur un monticule de boue fraîche et molle, à côté d'un cratère puant rempli d'eau ; je reniflai vainement la terre pour y trouver quelque chose à manger, mais le sol où je me trouvais était dépourvu d'herbe et, en ce moment, je n'avais ni l'énergie ni la volonté de faire un pas de plus. Je relevai la tête pour regarder alentour si je découvrais un peu d'herbe dans les parages et, ce faisant, je sentis le premier rayon de soleil filtrer à travers le brouillard et me toucher le dos : de légers frissons tièdes parcoururent mon corps glacé et engourdi.

En quelques minutes, le brouillard commença à se dissiper et je vis pour la première fois que je me trouvais dans un large couloir de boue, dans un paysage désolé, pulvérisé, entre deux interminables réseaux de barbelés qui s'étendaient à l'infini, devant moi, derrière moi. Je me rappelai m'être déjà trouvé un jour en un endroit pareil, cette fois où j'avais chargé pour le franchir, Topthorn à mes côtés. C'était ce que les soldats appelaient le no man's land.

Chapitre 16

Sur ma droite et sur ma gauche, j'entendais s'élever rires et agitation qui se propageaient en vagues le long des tranchées, et où se mêlaient des ordres qu'on braillait : « Baissez la tête ! Que personne ne tire ! » De ma position privilégiée sur ce monticule, j'entrevoyais seulement de temps à autre quelque casque d'acier, seule preuve pour moi que les voix que j'entendais appartenaient vraiment à des êtres bien réels. Une délicieuse odeur de cuisine s'en venait flotter vers moi et je redressai le nez pour la savourer. Elle était plus délicieuse que tous les picotins que j'avais pu déguster. En plus, il y avait là une pointe de sel. Attiré, tantôt d'un côté, tantôt de l'autre par la promesse d'un aliment chaud, je me heurtais à l'infranchissable barrière des barbelés mollement déroulés, chaque fois que je m'approchais des tranchées de droite ou de gauche. Les soldats m'acclamaient quand je me rapprochais ; ils montraient carrément la tête au-dessus des tranchées à présent, et me faisaient signe de venir vers eux ; quand j'étais obligé de faire demi-tour devant les barbelés et retraversais le no man's land vers l'autre camp, de nouveau j'étais salué par un concert d'applaudissements et de sifflets. Mais, là encore, je n'arrivais pas à me frayer un passage parmi les barbelés. Je dus faire la navette une bonne partie de la matinée dans le no man's land. Je découvris enfin, enfin ! dans ce désert dévasté, un petit carré d'herbe rêche et humide, qui poussait sur le bord d'un ancien cratère d'obus.

J'étais affairé à en arracher les derniers brins, quand j'aperçus du coin de l'œil un homme en uniforme gris qui se hissait hors de la tranchée. Il brandissait un drapeau blanc. Je dressai la tête quand il se mit à couper méthodiquement le barbelé à la cisaille et qu'il avança, après l'avoir écarté. Pendant tout ce temps, il y avait force palabres et bruyante consternation dans l'autre camp et, bientôt, une petite silhouette casquée, en capote kaki qui lui battait les jambes, émergea pour s'engager dans le no man's land. Lui aussi tenait un chiffon blanc à la main et commença à se frayer passage entre les barbelés pour venir vers moi.

L'Allemand fut le premier à sortir des barbelés, laissant derrière lui un étroit passage. Il s'approchait lentement de moi à travers le no man's land, m'invitant sans arrêt à venir vers lui. Il me fit immédiatement penser à mon bon vieux Friedrich, car c'était comme lui un homme aux cheveux gris, vêtu d'un uniforme négligé et pas boutonné, et il me parlait avec douceur. Il avait une corde à la main ; l'autre main était tendue vers moi. Il était encore trop loin pour que je puisse y voir nettement mais, d'après mon expérience, une main qu'on tend est souvent mise en creux autour de quelque chose. C'était là promesse suffisante pour que je m'avance prudemment vers lui en boitant. Des deux côtés, à présent, les tranchées étaient bordées d'hommes qui m'acclamaient, debout sur les parapets, en agitant leur casque au-dessus de la tête.

– Hé, p'tit gars !

Le cri venait de derrière et était suffisamment pressant pour me faire m'arrêter. Je me retournai pour apercevoir le petit bonhomme en kaki qui se faufilait en zigzaguant à travers le no man's land, la main portant le chiffon blanc levée au-dessus de sa tête.

– Où tu vas comme ça, p'tit gars ? Minute, arrête ! Tu vas pas dans le bon sens, regarde.

Les deux hommes qui venaient vers moi n'auraient pu être plus différents. Celui en gris était le plus grand et, tandis qu'il s'approchait, je pus voir qu'il avait la figure fripée et ridée par les ans. Sous l'uniforme dans lequel il était si mal fagoté, tout en lui n'était que lenteur, que douceur. Il ne portait pas de casque, mais ce calot à bande rouge (que je connaissais si bien) posé négligemment en arrière de la tête. Le petit homme en kaki nous rejoignit, hors d'haleine : une figure rouge qui avait encore le lisse de la jeunesse, son casque rond à large bord avait glissé de guingois sur une oreille. Durant quelques instants muets et tendus, les deux hommes restèrent à plusieurs mètres l'un de l'autre, s'observant prudemment, sans dire un mot. Le jeune homme en kaki rompit le premier le silence.

– Bon, qu'est-ce qu'on fait ? dit-il en s'avançant vers nous et regardant l'Allemand qui le dépassait de la tête et des épaules. On est deux et on n'a qu'un cheval à partager. Sûr que le roi Salomon avait la solution, pas vrai ? Mais, dans le cas présent, elle n'est pas très pratique. Pire, j'sais pas un mot d'allemand et je vois bien que tu comprends rien de rien à ce que j't'raconte, hein ? Oh merde ! j'aurais jamais dû venir ici ; j'savais que j'aurais pas dû. J'sais pas c'qui m'a pris. Et tout ça pour une espèce de cheval crotté !

– Mais moi, je connais trois mots de mauvais anglais, répondit l'homme plus âgé.

Il présentait toujours le creux de sa main sous mon nez. Une main pleine de morceaux de pain noir – friandise qui m'était assez familière, mais que je trouvais généralement trop amère à mon goût. Toutefois, aujourd'hui, j'avais trop faim pour faire le difficile et j'eus vite fait de vider le creux de sa main tandis qu'il parlait.

– Je parle un tout petit peu anglais, comme un écolier, mais je crois qu'entre nous ça suffit.

Et au moment même où il disait cela, je sentis une corde glisser lentement et se resserrer autour de mon cou.

– Quant à l'autre problème, puisque je suis arrivé ici le premier, alors le cheval est à moi. Régulier, non ? Comme le cricket chez vous, non ?

– Cricket ! Cricket ! Qui est-ce qui a jamais entendu parler de ce jeu barbare, au pays de Galles ? C'est un jeu pour ces foutus Anglais. Mon jeu, à moi, c'est le rugby. Et c'est pas un jeu, c'est une religion plutôt, là d'où j'viens. Avant que la guerre m'ait fait arrêter, je jouais demi de mêlée pour Maesteg, et nous autres, à Maesteg, on dit qu'un ballon qui n'est à personne, il est à nous !

– Pardon, dit l'Allemand, les sourcils froncés par la perplexité. Je ne comprends pas ce que tu veux dire par là.

– Pas d'importance, Frisé. Pas d'importance, plus maintenant. On aurait pu arranger tout ça tranquillement – la guerre, je veux dire ; moi, j'serais rentré dans ma vallée et toi dans la tienne. Quand même, c'est pas ta faute, je crois. Pas plus que la mienne, d'ailleurs.

À présent, les acclamations des deux camps avaient cessé et, dans un silence absolu, les deux armées regardaient les deux hommes discuter à côté de moi. Le Gallois me flattait le nez et me tâtait les oreilles.

– Alors, tu connais les chevaux, dit le grand Allemand. C'est grave, sa blessure à la jambe ? Tu crois qu'elle est cassée ? Il a l'air de ne pas pouvoir s'en servir.

Le Gallois se pencha et me souleva doucement la jambe, avec compétence, en essuyant la boue qui entourait la plaie.

– Il est assez salement amoché, mais je ne crois pas que la jambe soit cassée, Frisé. C'est une mauvaise blessure, tout de même, il y a une entaille profonde. Les barbelés, ça m'a tout l'air. Il faut qu'il soit soigné en vitesse, sinon l'infection va s'y mettre et, alors, personne ne pourra plus grand-chose pour lui. Avec une entaille pareille, il a déjà dû perdre beaucoup de sang. Mais la question, c'est : qui est-ce qui le prend? On a un hôpital vétérinaire quelque part derrière nos lignes, mais j'imagine que vous aussi, vous en avez un.

– Oui, je crois. Il doit être quelque part, mais je ne sais pas où exactement, répondit lentement l'Allemand.

Puis, il plongea au fond de sa poche et en sortit une pièce.

– Choisis le côté que tu veux. «Pile ou face», c'est comme ça que vous dites, je crois. Je vais montrer la pièce à tout le monde, des deux côtés, et tout le monde saura que quel que soit celui qui gagnera le cheval, c'est seulement le hasard. Comme ça, pas d'humiliation pour personne, d'accord? Et tout le monde sera content.

Le Gallois prit un air admiratif et sourit.

– D'accord, vas-y, Frisé! Montre-leur la pièce, jette-la en l'air et je ferai mon annonce.

L'Allemand brandit la pièce au soleil, puis décrivit lentement un cercle complet avant de l'envoyer tournoyer, toute brillante, haut dans les airs. Au moment où elle retomba par terre, le Gallois s'écria d'une voix puissante et sonore :

– Face !

– Bien, dit l'Allemand en se penchant pour ramasser la pièce, c'est la figure de mon empereur qui me regarde du fond de la boue et il n'a pas l'air content de moi. Aussi, je crois bien que tu as gagné. Le cheval est à toi. Prends-en bien soin, camarade !

Il se saisit à nouveau de la corde et la tendit au Gallois. Il tendit en même temps l'autre main, en un geste d'amitié et de réconciliation : un sourire éclairait son visage usé.

– Dans une heure, ou deux peut-être, nous ferons tout notre possible pour nous entretuer. Dieu seul sait pourquoi, et encore je crois qu'il l'a peut-être oublié lui-même. Adieu, Gallois ! On leur a montré, hein ? On leur a montré que n'importe quel problème peut se résoudre entre les gens, pour peu qu'ils se fassent mutuellement confiance. Il n'est besoin de rien d'autre, non ?

Le petit Gallois hocha la tête d'un air incrédule en prenant la corde.

– Frisé, mon p'tit gars, je crois que si on nous laissait passer une heure ou deux ensemble, toi et moi, nous arriverions à débrouiller toute cette fichue pagaille. Il n'y aurait plus de veuves qui pleurent ni d'enfants qui crient dans ma vallée, et dans la tienne non plus. Au pire, on pourrait trancher tout ça en faisant valser une pièce, tu ne crois pas ?

– Dans ce cas, dit l'Allemand avec un petit rire, dans

ce cas, ce serait notre tour de gagner et peut-être que ça ne plairait pas à votre Lloyd George[1].

Puis il posa ses mains un moment sur les épaules du Gallois.

– Garde-toi bien, camarade, et bonne chance ! *Auf Wiedersehen.*

Il se détourna et s'en retourna à pas lents à travers le no man's land jusqu'aux barbelés.

– Même chose pour toi, mon p'tit gars, lui cria le Gallois.

Puis lui aussi fit demi-tour et m'emmena vers la rangée de soldats en kaki qui se mirent alors à rire et à applaudir de plaisir, tandis que, toujours boitant, je traversais la brèche des barbelés et venais à eux.

---

1. Lloyd George, homme d'État britannique, d'origine galloise (1863-1945). Premier ministre pendant la Première Guerre mondiale, à partir de 1916. (*N.d.T.*)

Chapitre 17

Ce ne fut qu'avec la plus grande difficulté que je restai debout sur mes trois jambes valides dans la voiture
vétérinaire qui m'emporta ce matin-là, me séparant de
l'héroïque petit Gallois qui m'avait ramené. Une foule
confuse de soldats faisait cercle autour de moi : ils m'acclamèrent à mon départ. Mais une fois parti sur les longues
routes cahoteuses, très vite je perdis l'équilibre et tombai
comme une masse sur le plancher, empoté, mal à l'aise.
Ma jambe blessée battait abominablement, tandis que
le véhicule oscillait de côté et d'autre au cours de son
cheminement vers l'arrière. Il était tiré par deux chevaux
trapus, bien étrillés l'un et l'autre, et immaculés sous leur
harnachement bien graissé. Affaibli par ces longues heures
où j'avais souffert, où je mourais de faim, je n'eus même
pas la force de me remettre sur mes pieds, quand je sentis les roues en dessous de moi rouler enfin sur des pavés
réguliers et qu'avec une secousse la voiture s'immobilisa

au soleil, un tiède et pâle soleil d'automne. Je fus salué à mon arrivée par un chœur de hennissements excités et je redressai la tête pour regarder. Tout ce que je pus voir, par-dessus les ridelles, c'était une vaste cour pavée avec de magnifiques écuries de chaque côté. Plus loin, une grande demeure à tourelles. Au-dessus de chaque porte d'écurie, un cheval curieux passait la tête, les oreilles dressées. Des hommes en kaki allaient et venaient en tous sens et quelques-uns arrivaient vers moi en courant ; l'un d'eux avait un licol à la main.

Débarquer fut pénible : j'étais à peu près à bout de forces et j'avais les jambes ankylosées après ce long trajet. Mais on me remit sur mes pieds et on me fit descendre doucement à reculons par la rampe de déchargement. Je me vis au centre d'une attention inquiète et admirative, au beau milieu de la cour, et entouré par un groupe de soldats qui examinaient soigneusement toutes les parties de mon corps et me palpaient.

– Mais, nom d'une pipe, qu'est-ce que vous êtes en train de fabriquer, vous autres, à votre avis ? fit une voix tonitruante qui résonna par toute la cour. C'est un ch'val. Un ch'val. Tout pareil que les autres.

Un homme gigantesque arrivait sur nous à grandes enjambées ; ses bottes craquaient sur les pavés. Son visage lourd et rougeaud était à moitié caché par la visière de sa casquette – elle lui tombait presque sur le nez – et par une moustache rousse qui lui remontait de la lèvre jusqu'aux oreilles.

– C'est ptêtre un ch'val célèbre, c'est p'têtre le seul bon dieu de ch'val qui soit rentré vivant du no man's land dans toute cette fichue guerre. Reste que c'est qu'un ch'val et un ch'val dégoûtant, en plus. On m'a ramené quelques spécimens pas jolis à voir depuis que je suis ici, mais, celui-là, c'est sûrement le ch'val le plus miteux, le plus crotté, le plus dégoûtant que j'ai jamais vu. C'est une véritable horreur et vous restez tous là plantés à le regarder.

Il avait trois larges galons sur le bras et les plis de son uniforme kaki immaculé étaient de vraies lames de rasoir.

– Alors, bon, il y a plus de cent ch'vaux malades ici, dans c't'hôpital et on est tout juste douze pour s'occuper d'eux. Y a ce jeune tire-au-flanc là-bas, qui a été désigné pour s'occuper de lui à son arrivée. Aussi, vous tous, les mecs, vous pouvez retourner à votre travail. Bougez-vous, tas de feignants. Allons! Bougez-vous!

Les hommes se dispersèrent dans toutes les directions, me laissant en compagnie d'un jeune soldat qui se mit en devoir de me mener à une écurie.

– Et vous, fit encore la voix tonitruante, le commandant Martin va sortir du bâtiment dans dix minutes pour examiner ce ch'val. Attention que ce ch'val soit formidablement propre, formidablement luisant. Un vrai miroir où vous pourriez vous raser. D'accord?

– Oui, maréchal des logis, fit l'autre en réponse.

Une réponse qui fit passer en moi un frisson, le rappel de quelque chose de familier. Où exactement avais-je déjà entendu cette voix ? Je ne savais pas. Tout ce que je savais, c'est qu'à ces deux mots j'avais eu le corps traversé d'un frémissement de joie, d'espoir, d'attente et je m'étais senti réchauffé de part en part. Il me fit traverser lentement la cour pavée ; moi, j'essayais sans arrêt de mieux voir sa figure, mais il restait juste un peu en avant par rapport à moi, si bien que tout ce que j'arrivais à voir, c'était une nuque bien rasée et une paire d'oreilles roses.

– Comment diable est-ce que tu as pu aller te fourrer dans le no man's land, espèce de ballot ? me dit-il. C'est ce que tout le monde voudrait bien savoir, depuis qu'est arrivé le message disant qu'on t'amenait ici. Et comment diable est-ce que tu t'es mis dans un état pareil ? Mais, ma parole, il n'y a pas un centimètre de toute ta personne qui n'est pas couvert de sang ou de boue. Drôle de boulot de deviner à quoi tu ressembles sous toute cette cochonnerie ! Mais on verra ça bientôt. Je vais t'attacher ici et t'enlever le plus gros dehors. Après quoi, je vais bien t'étriller avant que l'officier arrive. Allez ! amène-toi, gros ballot ! Une fois que je t'aurai bien décrassé, l'officier pourra te voir et soigner ta vilaine plaie. Désolé, mais je ne peux rien te donner à manger ni à boire, tant qu'il ne me l'aura pas permis. C'est ce que le maréchal des logis m'a dit. Pour le cas où il faudrait t'opérer.

Sa façon de siffler, tout en nettoyant brosses et étrilles, c'était bien celle qui allait avec la voix que je connaissais. Cela confirma mes espoirs grandissants et je fus alors sûr que je ne pouvais pas me tromper. Dans ma joie irrésistible, je me dressai sur mes jambes de derrière et l'appelai de toutes mes forces pour qu'il me reconnaisse. Je voulais lui faire voir qui j'étais.

– Holà ! doucement, nigaud, tu as failli faire tomber ma casquette, dit-il doucement, en retenant ferme ma corde et en me flattant le nez comme il l'avait toujours fait lorsque je n'étais pas content. C'est pas la peine de t'agiter comme ça. Tout se passera bien. Tout ça, c'est des histoires pour rien. J'ai connu un jeune cheval, dans le temps, qui était comme toi. Il se cabrait pour un oui pour un non, jusqu'à ce que j'apprenne à le connaître et que lui aussi apprenne à me connaître.

– Encore en train de parler aux chevaux, Albert ? fit une voix qui venait de l'écurie d'à côté. Mais, vingt dieux, qu'est-ce qui te fait croire qu'ils comprennent le premier mot de ce que tu leur dis ?

– Possible que certains ne comprennent pas, David, mais un jour, un jour, il y en aura un qui me comprendra. Il arrivera ici et reconnaîtra ma voix. C'est fatal qu'il arrive ici. Alors, tu verras un cheval qui comprend le moindre mot qu'on lui dit.

– C'est encore à propos de ton fameux Joey que tu radotes ?

La tête à qui appartenait la voix se pencha par-dessus la porte de l'écurie.

– Tu n'arrêteras donc jamais, Bébert ? Si je ne te l'ai pas dit cent fois, alors je ne te l'ai jamais dit. Paraît qu'il y a à peu près cinq cent mille canassons dans la bagarre et, toi, tu es entré dans le service vétérinaire parce qu'il y a une chance infime que peut-être tu tombes sur lui !

Je grattai la terre avec ma jambe estropiée pour essayer d'amener Albert à me regarder de plus près, mais il se borna à me flatter l'encolure et entreprit son travail de nettoyage.

– Il y a seulement une chance sur cinq cent mille que ton Joey passe par chez nous. Il faut que tu sois plus réaliste. Il peut fort bien être mort ; il y en a des quantités dans ce cas-là. Il peut aussi bien avoir filé en Palestine avec la Yeomanry[1]. Il peut se trouver à n'importe quel endroit de ces centaines de kilomètres de tranchées. Si tu n'étais pas un gars aussi terrible pour ce qui concerne les chevaux et si tu n'étais pas mon meilleur ami, je penserais que tu es devenu un peu cinglé, à la façon dont tu radotes avec ton Joey !

– Tu comprendras pourquoi, David, quand tu le verras, répondit Albert, qui s'accroupit pour gratter la croûte de boue que j'avais sur le ventre. Il n'y a pas un cheval au

---

1. Corps de cavalerie britannique, composé de volontaires issus de la classe des propriétaires terriens. (*N.d.T.*)

monde qui soit comme lui, tu verras. C'est un bai d'un roux vif, avec la queue et la crinière noires. Il a une étoile blanche sur le front et quatre balzanes, toutes pareilles jusque dans le moindre détail. Plus d'un mètre soixante au garrot et impeccable de la tête à la queue. Ce que je peux te dire, pour sûr, c'est que lorsque tu le verras, tu le reconnaîtras. Moi, je saurais le trouver au milieu d'un rassemblement de mille chevaux. Parce qu'il a quelque chose de spécial. Le capitaine Nicholls, tu sais, celui qui est mort à présent, celui dont je t'ai parlé, qui avait acheté Joey à mon père, celui qui m'avait envoyé une peinture de Joey, lui, il le savait. Il s'en était aperçu dès la première fois où son regard s'était posé sur lui. Je le retrouverai, David. C'est pour ça que j'ai fait tout ce chemin pour venir ici et je le retrouverai. Ou bien c'est moi qui le retrouverai, ou bien c'est lui qui me retrouvera. Comme je t'ai dit, je lui ai fait une promesse, et je vais la tenir.

– T'es complètement dingue, Bébert, dit son ami, qui ouvrit la porte de l'écurie et vint examiner ma jambe. Complètement dingue !

Il saisit un de mes sabots et le souleva doucement.

– En tout cas, celui-là a des balzanes sur les pattes de devant. C'est tout ce que je peux dire, à cause de tout ce sang et de toute cette boue. Je vais seulement nettoyer un peu la plaie avec une éponge, dégager tout ça pour t'avancer, pendant que je suis là. Sinon, il ne sera jamais propre à temps. Moi, j'ai fini de sortir la mouscaille de mes écuries ; je n'ai plus grand-chose à faire et, apparemment, un coup de main ne te ferait pas de mal. Tonnerre-de-sort, le margis, ne me dira rien si j'ai fini ce qu'il m'avait demandé de faire. Et j'ai fini.

Les deux hommes s'affairaient sur moi sans relâche : grattant, brossant, lavant. Je restai absolument immobile, poussant seulement Albert avec mon nez, pour l'obliger à se retourner et à me regarder. Mais, à présent, il était après ma queue et mon arrière-train.

– Trois, dit son camarade, après avoir lavé un autre de mes sabots. Ça fait trois balzanes.

– Oh ! la ferme ! David, fit Albert. Je sais bien ce que tu penses. Je sais ce que tout le monde pense : que je ne le retrouverai jamais. Il y a des milliers de chevaux de troupe qui ont quatre balzanes – oui, je sais – mais il n'y en a qu'un avec une tache en forme d'étoile sur le front. Et il y a combien de chevaux qui rutilent comme le feu au soleil couchant ? Je te dis qu'il n'y en a pas deux comme lui, nulle part au monde.

– Et de quatre, dit David. Quatre jambes et quatre balzanes. À présent, plus que l'étoile sur le front, un coup de peinture rouge sur cette espèce de tas de boue et tu vas l'avoir, là devant toi, ton Joey !

– Ne m'asticote pas, dit posément Albert. Ne m'asticote pas, David. Tu sais que je suis très sérieux pour ce qui touche à Joey. Le retrouver, ce sera quelque chose de formidable pour moi. C'est le seul ami que j'ai jamais eu avant de partir à la guerre. Je te l'ai dit. J'ai grandi avec lui, littéralement. C'est le seul être au monde dont je me sente parent.

À présent, David se trouvait près de ma tête. Il releva ma crinière et se mit à me brosser le front doucement d'abord, puis vigoureusement, en soufflant la poussière pour l'écarter de mes yeux. Il regarda très attentivement, puis se remit à brosser : vers le bas, descendant jusqu'au bout de mon nez ; puis, vers le haut, remontant jusqu'entre mes oreilles. Impatienté, je finis par agiter la tête.

– Bébert, dit-il doucement, je ne te charrie pas, parole. Je ne charrie plus, maintenant. Tu dis que ton Joey avait quatre balzanes, toutes pareilles jusque dans les détails ? Exact ?

– Exact, répondit Albert, brossant toujours ma queue avec ardeur.

– Et tu dis que Joey avait une étoile blanche sur le front ?

– Exact.

Albert ne portait aucun intérêt à ce qu'il disait.

– Ma foi, je n'ai jamais vu un cheval pareil, Bébert, dit David. (Avec sa main, il me lissait le poil sur le front.) Je n'aurais pas cru ça possible.

– Eh bien ! c'est possible, repartit sèchement Albert. Et il était roux, d'un roux qui flamboyait au soleil, tout comme j'ai dit.

– Je n'aurais jamais cru une chose pareille, poursuivit

son ami, en maîtrisant sa voix. Du moins, pas jusqu'à maintenant.

– Oh, boucle-la, David.

Il y avait un agacement véritable dans la voix d'Albert, à présent.

– Je te l'ai bien dit, hein ? Je te l'ai dit que je ne plaisante pas quand il s'agit de Joey.

– Moi non plus, Bébert. Je ne plaisante absolument pas. Je ne raconte pas de salades, je parle sérieusement. Ce cheval a quatre balzanes, toutes pareilles, comme tu l'as dit. Ce cheval a une étoile blanche bien nette sur le front. Ce cheval, comme tu peux voir, a la queue et la crinière noires. Ce cheval fait plus d'un mètre soixante au garrot et, quand il sera décrassé, il sera beau comme un astre. Et sous toute cette couche de boue, ce cheval est un bai roux. Exactement comme tu as dit, Bébert.

Tandis que David parlait, Albert abandonna brusquement ma queue et me contourna lentement en passant la main tout le long de mon dos. Enfin, nous nous trouvâmes face à face. Sa figure avait des couleurs moins fraîches que je ne pensais ; il avait davantage de rides autour des yeux et, dans son uniforme, c'était un homme plus large, plus fort que je me le rappelais. Mais c'était mon Albert. Pas de doute : c'était mon Albert !

– Joey ? risqua timidement Albert, en me regardant dans les yeux. Joey ?

Je relevai la tête et, dans ma joie, je l'appelai très fort, en sorte que le son retentit dans toute la cour et amena hommes et chevaux à la porte de leurs écuries.

– Ça pourrait être lui, dit Albert avec calme. Tu as raison, David, ça pourrait être lui. C'est même le son de sa voix. Mais je connais un seul moyen pour en être sûr.

Il dénoua ma corde et tira le licol par-dessus ma tête. Puis, se détournant, il alla jusqu'au portail et, là, il me fit face. Il arrondit les mains autour de ses lèvres et il siffla. C'était son ululement de hibou, ce même ululement grave et bégayant qui lui servait pour m'appeler quand nous nous promenions ensemble, là-bas à la ferme, il y avait tant, tant d'années. D'un coup, je n'eus plus de douleur à la jambe, j'allai à lui d'un trot aisé et j'enfouis mon nez au creux de son épaule.

– C'est lui, David! dit Albert en jetant les bras autour de mon cou et en s'agrippant à ma crinière. C'est mon Joey! Je l'ai trouvé. Il m'est revenu tout comme j'avais dit.

– Tu vois? fit David avec un sourire en coin. Tu vois? Qu'est-ce que je t'avais dit? Je m'trompe pas souvent, hein?

– Pas souvent, rétorqua Albert. Non, pas souvent. Et pas cette fois-ci.

Chapitre 18

Dans les jours d'euphorie qui suivirent nos retrouvailles, le cauchemar que j'avais vécu parut se dissiper, devenir irréel. La guerre elle-même était à un million de kilomètres, et sans importance. On n'entendait plus le canon, enfin ! Et seule l'arrivée régulière des fourgons vétérinaires qui revenaient du front me rappelait brutalement que le conflit et les souffrances duraient toujours.

Le commandant Martin nettoya ma blessure et y mit des points de suture. Même si au début je ne pouvais guère encore peser dessus, chaque jour qui passait je me sentais plus fort. Albert était de nouveau avec moi ; c'était là un remède suffisant ; en outre, comme j'étais à nouveau convenablement nourri – picotin chaud chaque matin et ration inépuisable de foin odorant –, ma guérison ne semblait plus être qu'une question de temps. Albert, comme les autres infirmiers vétérinaires, devait s'occuper de beaucoup d'autres chevaux, mais aussitôt qu'il avait une minute à lui, il s'affairait autour de moi dans mon écurie. Pour les autres soldats, j'étais une sorte de célébrité, si bien que je restais rarement seul dans l'écurie : apparemment, il y avait toujours un ou deux visages admiratifs en train de regarder par-dessus ma porte. Même Tonnerre, comme on appelait le maréchal des logis, me passait en revue scrupuleusement et, quand les autres n'étaient pas dans les parages, il me flattait les oreilles et me chatouillait le bas du cou en disant :

– Toi, alors, t'es quelqu'un ! Sacrée belle bête comme j'en ai pas souvent vu. Tu vas mieux, à présent, tu sais !

Mais le temps passait et je n'allais pas mieux. Un matin, je me sentis incapable de finir mon picotin, et tous les bruits violents, un coup de pied dans un seau, le son métallique du verrou de ma porte d'écurie, me mettaient les nerfs en boule et me faisaient me raidir de la tête à la queue. Mes jambes de devant, en particulier, refusaient de fonctionner comme il fallait. Elles étaient raides, lasses, et je sentais un grand poids douloureux le long de mon échine, qui me montait lentement dans le cou et jusqu'à la figure.

Albert remarqua qu'il y avait quelque chose qui n'allait pas, en voyant le picotin que j'avais laissé dans mon seau.

– Qu'est-ce que tu as, Joey ? dit-il avec inquiétude.

Il tendit la main pour me caresser de cette façon qu'il avait souvent quand il était soucieux. La seule vue de sa main qui s'approchait de moi – normalement un signe d'affection bienvenu – déclencha en moi la crainte : je me reculai loin de lui jusque dans le recoin de l'écurie. À ce mouvement, je constatai que la raideur de mes jambes de devant me permettait à peine de bouger. Je fis un faux pas en arrière, tombai contre le mur en briques au fond de l'écurie et y restai, lourdement appuyé.

– J'ai pensé que quelque chose n'allait pas, hier, dit Albert, à présent immobile au milieu de l'écurie. J'ai trouvé que tu n'avais pas l'air dans ton assiette. Tu as le dos raide comme un bâton et tu es en nage. Qu'est-ce que t'as bien pu fabriquer, vieil imbécile?

Alors, il se dirigea lentement vers moi et, bien que le contact de sa main m'inspirât encore une peur irraisonnée, je tins bon et le laissai me caresser.

– P'têtre que c'est quelque chose que t'as attrapé dans toutes tes aventures. P'têtre que t'as mangé quelque chose d'empoisonné, est-ce que c'est ça? Mais alors, ça se serait sûrement manifesté plus tôt. Ça va s'arranger, va, Joey, mais, en cas, je vais aller chercher le commandant Martin. Il va t'examiner et s'il y a quelque chose qui cloche il va te remettre d'aplomb «en deux temps, trois mouvements», comme disait mon père. J'me demande ce qu'il penserait aujourd'hui, s'il pouvait nous voir ensemble. D'ailleurs, il a jamais cru que je te retrouverais. Il disait que c'était un attrape-nigaud et que j'avais des chances de me faire tuer dans cette affaire. Mais, tu sais, Joey, il n'était plus le même homme, après ton départ. Il savait qu'il avait mal agi, et il semble que ça a fait partir tout ce qu'il avait de mauvais en lui. On avait l'impression qu'il ne vivait plus que pour se racheter de ce qu'il avait fait. Il a arrêté ses beuveries du mardi, il s'est occupé de maman comme quand j'étais petit, et il a même commencé à bien me traiter ; il ne m'a plus traité comme une bête de somme.

À la douceur de sa voix, je comprenais qu'il essayait de me calmer, comme toutes ces longues années auparavant, lorsque j'étais un poulain fou et terrorisé. Ses paroles m'avaient apaisé, alors ; mais aujourd'hui, je n'arrivais pas à m'empêcher de trembler. Toutes les fibres de mon corps semblaient tendues à craquer et je respirais péniblement. Tout mon être était consumé par un sentiment inexplicable de crainte, d'effroi.

– Je reviens dans une minute, Joey, me dit-il. Ne t'inquiète pas. Ça va aller. Le commandant Martin va te remettre sur pied. C'est un sorcier, cet homme-là, avec les chevaux.

Il s'éloigna et sortit.

Il revint peu après, avec son ami David, le commandant Martin et le maréchal des logis Tonnerre, mais le commandant entra seul dans l'écurie pour m'examiner. Les autres se penchaient par la porte de l'écurie et regardaient. Il s'approcha de moi prudemment, s'accroupissant à hauteur de ma jambe de devant pour examiner ma plaie. Puis il me passa les mains partout : sur les oreilles, le long du dos jusqu'à la queue ; après quoi, il prit du recul pour me regarder depuis l'autre bout de l'écurie. Quand il se retourna pour parler aux autres, il hochait la tête d'un air sinistre.

– Qu'est-ce que vous en pensez, maréchal des logis ? demanda-t-il.

– La même chose que vous, mon commandant : à voir l'allure qu'il a... répondit le maréchal des logis Tonnerre. Il est là, comme une bille de bois, la queue toute raide, il ne peut guère remuer la tête ; y a pas grand doute, n'est-ce pas, mon commandant ?

– Aucun, dit le commandant Martin. Absolument aucun. On a eu beaucoup de cas, ici. Quand ça n'est pas cette saleté de barbelé rouillé, ce sont les blessures de shrapnel. Un petit bout de métal qui reste à l'intérieur, une seule coupure : ça suffit. J'ai vu ça des quantités de fois. Je suis désolé, mon garçon, poursuivit le commandant Martin, posant la main sur l'épaule d'Albert pour le consoler. Je sais tout ce que ce cheval représente pour vous, mais il n'y a pas grand-chose qu'on puisse faire pour lui. Pas dans l'état où il est.

– Que voulez-vous dire, mon commandant ?

Il avait un tremblement dans la voix.

– Comment ça ? Qu'est-ce qu'il a, mon commandant ? Ça ne peut pas être très grave, si ? Hier, il était frais comme la rose, sauf qu'il finissait pas ses rations. Un peu raide, p'têtre, qu'il était, mais à part ça, il était frais comme la rose.

– C'est le tétanos, mon gars, dit le maréchal des logis Tonnerre. On appelle ça aussi l'trismus. Ça se voit sur lui clair comme le jour. Sa plaie a dû s'infecter avant qu'on l'ramène ici. Et une fois qu'un ch'val, il a l'tétanos, il a pas beaucoup de chance de s'en sortir, vraiment pas beaucoup.

– Il vaut mieux en finir vite, dit le commandant Martin. Pas de raison de laisser une bête souffrir. Ça vaut mieux pour lui et ça vaut mieux pour vous.

– Non, mon commandant, protesta Albert, encore incrédule. Non, vous n'avez pas le droit de faire ça, mon commandant. Pas Joey. Il faut qu'on essaie de faire quelque chose. Il y a sûrement quelque chose à faire. Vous ne pouvez pas baisser les bras, mon commandant. Non. Pas pour Joey !

David vint à la rescousse.

– Faites excuse, mon commandant, mais j'me souviens qu'vous nous avez dit, quand on est arrivés ici, que la vie d'un cheval, c'est p't'être encore plus important que celle d'un homme, parc'qu'un cheval, il a rien de mauvais en lui, à part c'que les hommes y mettent. J'me rappelle que vous avez dit que notre boulot, dans le service vétérinaire, c'est de travailler nuit et jour, vingt-six heures par jour, s'il le faut, pour secourir et sauver tous les chevaux qu'on peut, qu'un cheval, il a de la valeur par lui-même et qu'il a d'la valeur pour l'effort de guerre. Pas de chevaux, pas de canons. Pas de chevaux, pas de munitions.

Pas de chevaux, pas de cavalerie. Pas de chevaux, pas d'ambulances. Pas de chevaux, pas d'eau pour les troupes qui sont au front. C'est la corde de sécurité de toute l'armée, vous avez dit, mon commandant. Il ne faut jamais baisser les bras, vous avez dit, parc'que là où il y a de la vie, il y a de l'espoir. C'est tout ça que vous nous avez dit, mon commandant. Faites excuse, mon commandant.

– Surveille ta langue, p'tit, dit le maréchal des logis Tonnerre avec sévérité. Ce n'est pas une façon de parler à un officier. Si notre commandant pensait qu'il y a une chance sur un million de sauver cette pauvre bête, il tenterait le coup, pas vrai, mon commandant? Ça n'est pas exact, mon commandant?

Le commandant Martin regarda le maréchal des logis avec attention, saisissant ce qu'il voulait dire et hocha la tête affirmativement.

– D'accord, maréchal des logis, vous avez gagné. Bien sûr qu'il y a une chance, ajouta-t-il prudemment. Mais, si on s'attaque à un cas de tétanos, alors ça signifie un travail à plein temps pour un homme, pendant un mois ou plus. Même comme ça, il y a à peine plus d'une chance sur mille. Et encore!

– S'il vous plaît, mon commandant, supplia Albert, je m'occuperai de tout et je ferai aussi mon travail avec les autres chevaux, mon commandant. Je vous le promets, mon commandant!

– Et moi, je l'aiderai, mon commandant. Tous les gars

l'aideront, je le sais. Vous voyez, mon commandant, ce
Joey, c'est un cheval un peu spécial pour tout le monde,
ici : parce que c'est le cheval de Bébert du temps qu'il
était au pays, et tout et tout…
— Ça, c'est l'état d'esprit qui me plaît, mon gars, déclara
le maréchal des logis Tonnerre. Et, c'est vrai, mon commandant, il a quelque chose d'un peu particulier, ce
ch'val-là, vous savez, après tout ce qui lui est arrivé. Avec
votre permission, mon commandant, je crois que nous
devrions lui donner sa chance. Je me porte personnellement garant, mon commandant, qu'aucun des autres
chevaux ne sera négligé. Les écuries seront tenues impec-
cables, nickel, comme toujours.
   Le commandant Martin posa les mains sur la porte de
l'écurie.
— D'accord, maréchal des logis, allez-y. Moi, je suis
comme tout le monde : un défi ne me déplaît pas. Je
veux qu'on m'installe une élingue, ici. Il faut obliger ce
cheval à rester sur ses jambes. S'il se couche, il ne se
relèvera plus. Je veux qu'on ajoute une note aux consignes
permanentes, maréchal des logis : tout le monde devra
parler à voix basse dans cette cour. Il ne va pas supporter du tout le bruit, avec le tétanos. Je veux une litière de
paille courte, propre, et qu'elle soit renouvelée tous les
jours. Je veux que les fenêtres soient masquées, afin qu'il
soit maintenu dans l'obscurité. On ne devra pas lui donner de foin – ça pourrait l'étouffer –, seulement du lait

et de la bouillie d'avoine. Ça va s'aggraver avant d'aller mieux, si jamais ça va mieux. Vous constaterez que ses mâchoires vont se bloquer chaque jour davantage ; mais il faut qu'il continue à s'alimenter et à boire. Sinon, il mourra. Je veux qu'il soit veillé vingt-quatre heures sur vingt-quatre, ce qui signifie un homme posté ici tout le temps et tous les jours. C'est bien clair ?

– Oui, mon commandant, déclara le maréchal des logis Tonnerre, en souriant largement sous sa moustache. Et, si je peux me permettre, mon commandant, vous avez pris une décision très sage. Je veillerai à tout, mon commandant. Et maintenant, remuez-vous, mes deux feignants ! Vous avez entendu ce qu'a dit l'officier.

Ce même jour, on me passa une élingue autour du corps et mon poids fut soutenu à partir des poutres au-dessus de moi. Le commandant Martin rouvrit ma plaie, la nettoya et la cautérisa. Quelques heures après, il revint m'examiner. Bien sûr, c'était Albert qui restait auprès de moi la plupart du temps : il portait le seau à ma bouche pour que je puisse sucer la bouillie ou le lait chauds. La nuit, David et lui dormaient côte à côte dans le coin de l'écurie et me veillaient à tour de rôle.

Comme je m'y étais attendu et comme j'en avais besoin, Albert me parlait autant qu'il pouvait pour me réconforter, jusqu'au moment où, recru de fatigue, il était forcé de retourner dans son coin pour dormir. Il parlait beaucoup de son père, de sa mère et de la ferme. Il parlait aussi d'une fille du village, qu'il avait fréquentée dans les mois qui avaient précédé son départ pour la France. Elle ne connaissait rien aux chevaux, me disait-il, mais c'était là son seul défaut.

Mes journées passaient lentement, douloureusement. La rigidité de mes jambes de devant s'étendit à mon dos et s'accentua; mon appétit diminuait tous les jours et j'arrivais à peine à rassembler assez d'énergie et d'entrain pour sucer la nourriture dont je savais qu'elle était nécessaire à ma survie. Dans les moments les plus noirs de ma maladie, quand, chaque jour, j'étais certain que ce serait peut-être mon dernier jour, seule la présence constante d'Albert maintint en moi la volonté de vivre. Son dévouement, sa foi inébranlable que certes je guérirais me donnaient le cœur de continuer. J'avais des amis qui m'entouraient : David, les infirmiers vétérinaires, le maréchal des logis Tonnerre, le commandant Martin. Ils m'étaient tous une source de grand encouragement. Je savais quelle volonté désespérée ils avaient que je vive; tout de même, je me demandais souvent si c'était pour moi qu'ils le voulaient, ou pour Albert, car je savais bien qu'ils le tenaient en très haute estime. À la réflexion, je pense qu'ils nous aimaient tous les deux comme si nous avions été leurs frères.

Ensuite, une nuit d'hiver, à la fin de longues semaines pénibles où j'étais resté pris dans mon élingue, j'éprouvai une décrispation soudaine de la gorge et du cou, tant et si bien que je fus capable d'appeler – doucement, quand même – pour la première fois. Comme d'habitude, Albert était assis dans le coin de l'écurie, le dos appuyé au mur, les genoux remontés, les coudes reposant sur les genoux. Il avait les yeux fermés ; alors je hennis à nouveau, doucement toujours, mais assez fort pour qu'il se réveille.

– C'était toi, Joey ? demanda-t-il en se remettant sur pied. C'était toi, dis, vieux nigaud ? Recommence, Joey, j'ai peut-être rêvé. Recommence !

Aussi, je recommençai et, en même temps, je levai la tête pour la première fois depuis des semaines et je la secouai. David avait entendu aussi ; il s'était levé et il appelait par la porte de l'écurie pour que tout le monde vienne. En quelques instants, l'écurie fut remplie de soldats tout excités. Tonnerre se fraya un passage parmi eux et s'arrêta devant moi.

– Les consignes permanentes disent « chuchoter » et ce que j'ai entendu, tonnerre ! ce n'étaient pas précisément des chuchotements. Qu'est-ce qu'il se passe ? Pourquoi tout ce boucan ?

– Il a remué, maréchal des logis, dit Albert. Il a remué facilement la tête et il a henni.

– Pour sûr, mon gars, fit le margis. Pour sûr. Y va s'en tirer. Tout comme j'avais dit. J'vous l'ai toujours dit, pas vrai ? Et vous autres, tas de feignants, vous m'avez quelquefois vu me tromper ? Hein, dites voir ?

– Jamais, maréchal des logis, répondit Albert, la bouche

fendue jusqu'aux oreilles. C'est vrai qu'il va mieux ! C'est pas moi qui me fais des idées, non ?

– Non, mon gars. Ton Joey, il va aller très bien, ça s'voit sur lui. Mais à condition qu'on l'laisse au calme et qu'on ne l'bouscule pas trop vite. C'que j'espère, moi, c'est qu'si un jour j'suis mal fichu, j'aurai autour de moi des infirmières qui s'occuperont de moi comme vous tous, les gars, vous vous êtes occupés d'ce ch'val. Une chose, tout d'même : quand j'vous regarde, j'aimerais bien qu'elles soient un peu plus jolies qu'vous !

Peu après, je retrouvai mes jambes, et la raideur de mon dos disparut définitivement. On me dégagea de mon élingue et, un matin de printemps, on m'emmena me promener au pas, sous le bon soleil de la cour pavée. Ce fut une parade triomphale : Albert me faisait marcher avec précaution à reculons tout en me parlant sans arrêt.

– T'as gagné, Joey ! T'as gagné ! Tout le monde dit que la guerre va bientôt finir, je sais qu'on dit ça depuis longtemps, mais, cette fois-ci, je le sens dans ma carcasse. Ça sera fini avant longtemps. Alors, on rentrera chez nous, à la ferme. J'brûle d'impatience de voir la tête du père quand je vais arriver par le chemin avec toi. Vrai, j'brûle d'impatience !

Chapitre 19

Mais la guerre ne finissait pas : elle semblait plutôt se rapprocher de nous sans cesse et nous entendions à nouveau le grondement menaçant des tirs d'artillerie. Ma convalescence était presque achevée à présent et, bien qu'encore affaibli par la maladie, on m'employait déjà à des travaux légers à proximité de l'hôpital vétérinaire. J'étais dans un attelage à deux. On allait chercher le foin et le ravitaillement à la gare la plus proche, ou bien on tirait la charrette à fumier dans la cour. Je me sentais de nouveau en forme et plein d'ardeur au travail. Mes jambes et mes épaules reprenaient leur rondeur et, au fil des semaines, je me rendis compte que je pouvais travailler de plus longues heures dans les brancards. Tonnerre, notre maréchal des logis, détachait Albert auprès de moi chaque fois que j'étais au travail, de sorte que nous n'étions à peu près jamais séparés. Mais, de temps en temps, comme les autres infirmiers vétérinaires, Albert se voyait dépêché au front avec le fourgon vétérinaire pour ramener les chevaux récemment blessés. Alors, moi, je languissais d'impatience et je rongeais mon frein, la tête passée par la porte de l'écurie, jusqu'au moment où j'entendais résonner le fracas des roues sur les pavés et le voyais agiter gaiement la main quand il entrait dans la cour par le portail voûté.

Le temps passant, moi aussi je retournai à la guerre : je retournai dans les lignes ; je retournai parmi le miaulement et le grondement des obus que j'espérais avoir laissés derrière moi pour toujours. Complètement remis, à présent, j'étais l'orgueil du commandant Martin et de son unité vétérinaire, et on m'employait souvent comme cheval de tête dans l'attelage en tandem qui tirait le fourgon pour faire la navette entre le front et l'arrière. Mais comme Albert m'accompagnait toujours, je n'avais plus jamais peur des canons. De même que Topthorn avant lui, il semblait deviner que j'avais besoin de me voir constamment rappeler qu'il était avec moi, qu'il me protégeait. Sa voix douce et aimable, ses chansons, les airs qu'il sifflait m'aidaient à tenir bon sous les obus qui tombaient.

Durant tout le trajet, à l'aller comme au retour, il me faisait la conversation pour me rassurer. Parfois, il s'agissait de la guerre :

– David dit que les Boches sont à bout de souffle, qu'ils

ont tiré leurs dernières cartouches, me raconta-t-il un jour d'été tout bourdonnant d'insectes, tandis que nous dépassions des files et des files de fantassins et de cavaliers qui montaient au front.

Nous véhiculions une jument grise épuisée qui faisait les transports d'eau, une rescapée de la boue des premières lignes.

– Ils nous en ont ratatiné six, les Boches, à ce qu'on raconte, en avant des lignes. Mais David dit qu'ils sont à bout de souffle, qu'une fois que les Amerlos auront trouvé leur punch et que si nous, nous tenons bon, tout pourrait être fini pour Noël. J'espère qu'il a raison, Joey. En général, c'est le cas. J'ai beaucoup de respect pour ce que dit David. Les autres aussi.

Quelquefois aussi, il parlait de chez nous et de sa petite amie du village :

– Maisie Cobbledick, qu'elle s'appelle, Joey. Elle travaille à la laiterie de la ferme chez Anstey. Et elle fait le pain. Ah, Joey! elle fait un pain comme tu n'en as jamais goûté, et même maman dit que ses gâteaux sont les plus fameux de toute la commune. Mon père dit qu'elle est trop bien pour moi, mais il n'en pense pas un mot. Il dit ça pour me faire plaisir. Et aussi, elle a des yeux! Des yeux bleus comme des bleuets, des cheveux blonds comme les blés et sa peau sent le chèvrefeuille. Sauf quand elle sort tout juste de la laiterie. À ce moment-là, je me tiens à distance! Je lui ai tout raconté sur toi, Joey. Et elle est la seule, la seule, remarque bien, qui m'ait dit que j'avais raison de venir ici pour te retrouver. Pas qu'elle voulait que je parte. Va pas penser ça. À la gare, quand je suis parti, elle a pleuré toutes les larmes de son corps, alors, c'est qu'elle doit m'aimer un petit peu, non ? Allons, espèce d'idiot ! Réponds-moi ! C'est la seule chose que j'ai contre toi, Joey : tu écoutes mieux que personne que j'aie jamais rencontré, mais je ne sais jamais ce que tu penses, bon sang ! Tout ce que tu fais, c'est cligner les yeux et remuer tes oreilles d'est en ouest, et du nord au sud. Je voudrais que tu saches parler, Joey, je voudrais tant !

Puis, un soir, une nouvelle terrible arriva du front : David, l'ami d'Albert, avait été tué, en même temps que les deux chevaux qui tiraient le fourgon vétérinaire.

– Un projectile perdu, me dit Albert en apportant de la paille pour mon écurie. C'est ça qu'ils ont dit. Un obus qui arrive de nulle part et, lui, il est liquidé. Il va nous manquer, Joey. Il nous manquera à tous les deux, pas vrai ?

Il s'assit dans la paille, au coin de l'écurie.

– Tu sais ce qu'il faisait, David, avant la guerre ? Il était marchand des quatre-saisons à Londres, devant Covent Garden. Il t'admirait beaucoup, Joey. Il me l'a dit assez souvent. Et il veillait sur moi, tu sais. C'était comme un frère. Vingt ans. La vie devant lui. Fichu, tout ça, à cause d'un seul obus qui va se perdre. Il me disait toujours : «En tout cas, si j'meurs, y aura personne qui me pleurera.

Seulement ma carriole, et j'peux pas l'emmener avec moi. Dommage!» Il était fier de sa carriole. Un jour, il m'a montré une photo de lui, debout à côté d'elle. Bien peinte, qu'elle était, avec une grande pile de fruits. Lui, il était là, avec le sourire, un sourire grand comme une banane étalé sur toute la figure.

Il leva les yeux vers moi et essuya les larmes sur ses joues. À présent, il parlait les dents serrées.

– Maintenant, il ne reste plus que toi et moi, Joey, et je te le dis, on va rentrer au pays tous les deux. Et cette cloche ténor, c'est moi qui vais recommencer à la faire sonner, à l'église. Et puis je vais manger le pain et les gâteaux de ma Maisie. Et puis, je vais te monter et on va retourner à la rivière. David disait toujours qu'il ne savait pas trop pourquoi, mais qu'il était sûr que je rentrerais au pays. Il avait raison, et je vais prouver qu'il avait raison.

La fin de la guerre arriva très vite, presque sans crier gare : c'est ce qu'il sembla aux hommes qui étaient autour de moi. On se réjouit peu, on célébra peu la victoire, on eut seulement un sentiment de soulagement profond : enfin, c'était fini, terminé! Albert laissa le petit groupe heureux des hommes qui s'étaient rassemblés dans la cour, en ce froid matin de novembre, et s'en vint tranquillement bavarder avec moi :

– Dans cinq minutes, ce sera fini, Joey, complètement fini. Les Boches en ont largement assez; nous aussi.

Il n'y a plus personne qui ait vraiment envie de continuer. À onze heures, les canons vont se taire, point final. Mon seul regret, c'est que David ne soit pas là pour voir ça.

Depuis la mort de David, Albert n'était plus le même. Pas une fois je ne l'avais vu rire ou plaisanter et, en ma compagnie, il s'absorbait fréquemment dans des silences prolongés. Plus de chansons, plus de ces airs qu'il sifflait. Je faisais mon possible pour lui remonter le moral ; je posais la tête sur son épaule et hennissais doucement à son intention, mais il paraissait absolument inconsolable. Même la nouvelle que la guerre s'achevait enfin ne ramena aucune flamme dans ses yeux. La cloche dans la tour de l'horloge qui surplombait l'entrée sonna onze fois : les hommes se serrèrent solennellement la main ou se tapèrent mutuellement dans le dos, puis retournèrent aux écuries.

Pour moi, les fruits de la victoire devaient se révéler amers en vérité, mais, dans un premier temps, la fin de la guerre ne changea pas grand-chose. L'hôpital vétérinaire fonctionnait comme il l'avait toujours fait ; le flot des chevaux malades et blessés semblait plutôt augmenter que décroître. De la porte de la cour, nous voyions les interminables colonnes des combattants s'en retourner vers les gares d'un pas conquérant ; nous regardions défiler les chars, les canons, les chariots qui rentraient en Angleterre. Mais nous, on nous laissa où nous étions. Comme les autres soldats, Albert s'impatientait. Comme eux, tout ce qu'il voulait, c'était rentrer dans ses foyers aussi rapidement que possible.

Rassemblement tous les matins comme d'habitude, au milieu de la cour pavée, suivi de l'inspection des chevaux et des écuries par le commandant Martin. Toutefois, un certain matin – temps maussade, petite bruine – où les pavés mouillés avaient des reflets gris sous la lumière du début du jour, le commandant Martin ne fit pas l'inspection des écuries comme à l'accoutumée. Le maréchal des logis Tonnerre donna l'ordre « Repos ! », et le commandant Martin annonça le plan d'embarquement de notre unité. Il était en train de terminer sa brève déclaration :

– Nous serons à la gare Victoria vers dix-huit heures, samedi soir, si nous avons un peu de chance. Vous serez tous rentrés chez vous pour Noël, il y a bon espoir.

– Je peux prendre la parole, mon commandant ? risqua Tonnerre.

– Allez-y, maréchal des logis.

– C'est au sujet des ch'vaux, mon commandant. Je crois que les hommes aimeraient savoir c'qui va s'passer pour les ch'vaux. Est-ce qu'ils seront sur le même bateau, ou est-ce qu'ils viendront plus tard ?

Le commandant Martin changea ses pieds de position et contempla ses bottes.

– Non, maréchal des logis, je crois qu'il n'est pas question du tout que les chevaux repartent avec nous.

Sur quoi il y eut un murmure perceptible de protestations parmi les soldats rassemblés.

– Vous voulez dire, mon commandant, reprit le maréchal des logis, vous voulez dire qu'ils reviendront plus tard sur un autre bateau ?

– Non, maréchal des logis, dit le commandant en se frappant le côté avec son stick. Non, ce n'est pas ce que je veux dire. Je veux dire exactement ce que j'ai dit. Je veux dire qu'il n'est pas question qu'ils repartent avec nous. Les chevaux resteront en France.

– Rester ici, mon commandant ? Mais comment ? Qui est-ce qui va s'occuper d'eux ? Nous avons ici des bêtes malades qui ont besoin de soins toute la journée, tous les jours.

Le commandant approuva de la tête. Il regardait toujours par terre.

– Ce que j'ai à vous dire ne va pas vous plaire. Malheureusement, la décision a été prise de vendre sur place un grand nombre des chevaux de troupe. Tous ceux que nous avons ici sont malades ou ont été malades et on pense que ça ne vaut pas la peine de les transporter en Angleterre. J'ai ordre de les mettre en vente demain matin, ici, dans la cour. Un avis dans ce sens a été affiché dans les localités environnantes. Ils vont être vendus aux enchères.

– Aux enchères, mon commandant ? Nos chevaux ?
Soumis au marteau d'un commissaire-priseur ? Après
tout ce qu'ils ont enduré ?

Le sous-officier parlait poliment, mais tout juste.

– Mais vous savez ce que ça signifie, mon commandant ? Vous savez ce qui va se passer ?

– Oui, maréchal des logis. Je sais ce qui va leur arriver.
Mais personne n'y peut rien. Nous sommes dans l'armée, maréchal des logis, et je n'ai pas besoin de vous
rappeler que les ordres sont les ordres.

– Mais vous savez bien où ils vont aller finir ? dit Tonnerre, un écœurement mal déguisé dans la voix. Il y
a des milliers de ch'vaux ici en France, mon commandant. Des anciens combattants, quoi. Allez-vous me dire
qu'après tout ce qu'ils ont subi, après tout ce que nous
avons fait pour les soigner, après tout ce que vous,
vous avez fait, mon commandant, ils vont finir d'une
façon pareille ? Je n'arrive pas à croire qu'on ait vraiment
décidé ça.

– Ma foi, j'ai bien peur que si, avoua le commandant
d'un air contraint. C'est vrai, je ne peux pas dire le contraire, maréchal des logis : certains vont probablement
finir comme vous le suggérez. Vous avez absolument raison d'être indigné. Absolument. Ça ne m'enthousiasme
pas non plus, vous pouvez l'imaginer. Mais, demain, la
plupart de ces chevaux auront été vendus, et nous-mêmes,
nous ferons mouvement le lendemain. Et vous savez

bien, maréchal des logis, et je le sais bien aussi : je n'y peux littéralement rien.

La voix d'Albert retentit à travers la cour.

– Quoi ? Tous, mon commandant ? Absolument tous ? Même Joey qu'on a ressuscité d'entre les morts ?

Le commandant Martin ne répondit pas. Il tourna les talons et partit.

Chapitre 20

Ce matin-là, il flottait carrément une atmosphère de conspiration dans la cour. Dans les groupes, on chuchotait : des hommes en capote trempée, le col relevé pour se protéger le cou de la pluie, se serraient les uns contre les autres, discutaient à voix basse avec animation. Albert sembla à peine faire attention à moi de toute la journée. Il ne me parlait pas, ne me regardait même pas, mais se hâtait d'accomplir les corvées quotidiennes : vider les écuries, entasser le fourrage, faire le pansage – tout ça dans un silence profond et sombre. Je savais, tous les chevaux de la cour savaient : nous étions menacés. Moi, j'étais dévoré d'inquiétude.

Tel un mauvais présage, une ombre s'était abattue sur la cour, ce matin-là. Pas un seul d'entre nous n'arrivait à rester tranquille dans son écurie. Quand on nous sortit pour l'exercice, nous étions nerveux, ombrageux, et Albert – comme les autres – réagit avec impatience : il tirait brutalement sur mon licol, chose que je ne lui avais jamais vu faire auparavant.

Ce soir-là, les hommes étaient toujours en train de discuter mais, à présent, le maréchal des logis Tonnerre était parmi eux, et ils restaient tous ensemble dans la cour qui s'obscurcissait. À la dernière clarté du soir, j'entrevoyais de l'argent qui brillait entre leurs mains. Le maréchal des logis tenait une petite boîte en fer-blanc qui circulait de main en main et j'entendis tinter les pièces qui tombaient dedans. À présent, la pluie avait cessé et la soirée était calme, si bien que j'arrivais juste à distinguer les grognements de Tonnerre, qui parlait à voix basse.

– On peut pas faire mieux, les gars. C'est pas grand-chose, mais nous, on n'a pas grand-chose non plus, pas vrai? C'est pas dans l'armée que les bonshommes deviennent jamais riches. C'est moi qui f'rai les enchères, comme j'ai dit – les ordres l'interdisent, mais je l'ferai quand même. Attention! j'vous promets rien.

Il marqua un temps d'arrêt et regarda par-dessus son épaule avant de poursuivre :

– Je n'suis pas censé vous l'dire – le commandant a dit qu'il n'fallait pas – et n'croyez surtout pas que c'est mon habitude de désobéir aux ordres des officiers! Mais on n'est plus en guerre et, de toute façon, cet ordre, c'était plutôt un conseil pour ainsi dire. Aussi, je vous dis ça parce que ça m'plairait pas que vous pensiez du mal de notre commandant. L'est parfaitement au courant de c'qui se passe. En fait, tout ça, c'est une idée de lui. C'est lui qui m'a dit de vous suggérer ça, pour commencer. En plus, les gars, il nous a donné tout ce qu'il lui restait sur sa solde, tout. C'est pas gras, mais ça aide. J'ai sûrement pas besoin de vous l'dire, mais : pas un mot à la reine-mère! Si ça s'trouvait su, il se ferait drôlement ramasser, et nous autres avec. Alors : motus et bouche cousue. C'est clair?

– Est-ce que vous avez assez, maréchal des logis?

Je reconnus la voix d'Albert.

– J'espère, p'tit, dit Tonnerre en secouant la boîte. J'espère. À présent, allons tous piquer un roupillon. J'vous veux tous bien réveillés demain matin, mes feignants, et d'bonne heure! J'veux aussi qu'les ch'vaux soient nickel, mille tonnerres! C'est la dernière chose qu'on fera pour eux et m'est avis qu'c'est bien l'moins qu'on peut faire.

Puis le groupe se dispersa; les hommes s'en allèrent par deux et par trois, le dos courbé à cause du froid et les mains enfouies dans les poches de leur capote. Un homme resta planté tout seul dans la cour. Il demeura un moment à regarder le ciel, puis se dirigea vers mon écurie. Je savais que c'était Albert à sa façon de marcher, cette démarche chaloupée du paysan, où les genoux restent toujours un peu ployés après chaque enjambée. Il s'accouda à la porte de l'écurie et repoussa sa casquette en arrière.

– J'ai fait tout ce que j'ai pu, Joey. On a tous fait ce qu'on a pu. J'peux pas t'en dire plus, parc'que j'sais que tu comprends chaque mot que j'te dis et ça servirait seulement à te rendre malade de souci. Cette fois-ci, j'peux même pas t'faire de promesse, comme j'avais fait quand le père t'a vendu à l'armée. J'peux pas t'faire de promesse, parce que j'sais pas si j'pourrai la tenir. J'ai demandé au brave Tonnerre de nous aider, et il l'a fait. J'ai demandé au commandant de nous aider, et il l'a fait. Et j'viens juste de demander au bon Dieu, parc'qu'en définitive ça n'dépend plus que d'lui. Je me rappelle qu'un jour, chez nous, miss Wirtle m'a dit à l'école du dimanche : « Aide-toi, le Ciel t'aidera. » C'était une sale vache, mais elle connaissait drôlement bien les Écritures. Que Dieu te bénisse, Joey ! Dors bien.

Et il tendit son poing serré pour m'en frotter le bout du nez ; après quoi, il me caressa les oreilles l'une après l'autre et me laissa seul dans les ténèbres de l'écurie. C'était la première fois qu'il me parlait ainsi, depuis le jour où on avait annoncé que David s'était fait tuer. Rien que de l'entendre m'avait réchauffé le cœur.

Au-dessus de la tour de l'horloge, le soleil apparut, éclatant, projetant l'ombre longue et fine des peupliers d'au-delà de la cour sur les pavés luisants de gel. Albert fut debout avec les autres avant la sonnerie du réveil. En sorte qu'au moment où les premiers acquéreurs arrivèrent dans la cour avec leurs charrettes, j'avais été nourri, abreuvé et étrillé si vigoureusement que ma robe de l'hiver flamboyait au soleil matinal, quand on me fit sortir.

Les acheteurs étaient rassemblés au milieu de la cour. Nous – enfin, tous ceux qui pouvaient marcher –, on nous fit parcourir le périmètre de la cour en une grande parade, après quoi on nous plaça l'un après l'autre face au commissaire-priseur et aux acquéreurs. Je me retrouvai à attendre dans mon écurie tout en regardant chacun des chevaux qui étaient vendus dans la cour avant moi. Apparemment, moi, je serais présenté en dernier. De lointains souvenirs d'une vente antérieure me donnèrent tout à coup des sueurs froides, mais je m'obligeai à me rappeler les paroles rassurantes d'Albert, la veille au soir et, peu à peu, mon cœur cessa de battre la chamade. Aussi, lorsque Albert vint me chercher pour me mener dans la cour, j'étais calme et j'allai d'un pas tranquille. J'avais en lui une confiance inébranlable, cependant qu'il me flattait doucement l'encolure et chuchotait mystérieusement à mon oreille. Il y eut des signes audibles et visibles d'approbation chez les acquéreurs lorsqu'il me fit décrire un cercle étroit pour que je vienne finalement m'arrêter face à une rangée de figures rougeaudes taillées à coups de serpe, une rangée d'yeux avides et radins. Je remarquai alors, au milieu des vestes et des chapeaux miteux des acheteurs, la haute silhouette immobile du maréchal des logis Tonnerre, qui les dominait de toute sa stature ; je remarquai aussi, sur un côté de la cour, alignée le long du mur, notre unité tout entière, qui suivait avec appréhension le déroulement de la vente. Les enchères commencèrent.

À l'évidence, j'étais recherché, car les enchères démarrèrent très fort. Toutefois, à mesure que le prix montait je voyais davantage de mouvements de tête négatifs et, rapidement, il m'apparut qu'il n'en restait plus que deux à faire monter les enchères. L'un, c'était ce brave Tonnerre lui-même, qui portait son stick à sa casquette pour faire son enchère, c'était presque comme s'il saluait militairement ; quant à l'autre, c'était un petit homme maigre et sec, aux yeux de fouine, qui arborait sur la figure un sourire d'une rapacité, d'une méchanceté si absolues que je supportais à peine de le regarder. Et les enchères montaient toujours.

– Vingt-cinq, vingt-six. Vingt-sept. Vingt-sept, une fois ; vingt-sept, deux fois, à ma droite. Vingt-sept, une fois ; vingt-sept, deux fois. Qui dit mieux ? Alors, là-bas, le maréchal des logis ? Vingt-sept. Qui dit mieux ? Comme vous voyez, c'est une belle bête. Jeune. Elle vaut beaucoup plus que ça. Allons, qui dit mieux ?

Mais le maréchal des logis faisait non de la tête, ses yeux étaient baissés et avouaient sa défaite.

J'entendis Albert, à côté de moi, murmurer :

– Oh non, mon Dieu ! Pas lui, mon Dieu ! C'est un de ces types-là, tu sais, Joey. Il n'a pas arrêté d'acheter toute la matinée. Tonnerre dit que c'est le boucher de Cambrai. Je t'en prie, mon Dieu, non!

– Bien. Alors, si personne ne dit mieux, je vends à M. Cirac, de Cambrai, pour la somme de vingt-sept livres sterling. Pas de regret? Alors, je vends à vingt-sept. Adjugé, adjugé...

– Vingt-huit, cria une voix parmi la foule des acheteurs.

Et je vis un vieillard à cheveux blancs, lourdement appuyé sur sa canne, qui s'avançait lentement en traînant les pieds, au milieu des acheteurs.

Il se planta devant eux.

– Je dis : vingt-huit livres sterling, déclara le vieillard dans un anglais hésitant, et je vais surenchérir aussi longtemps et aussi haut qu'il faudra. Je vous conseille, monsieur, ajouta-t-il en se tournant vers le boucher de Cambrai, je vous conseille de ne pas renchérir sur moi. Je suis prêt à payer cent livres pour ce cheval, s'il le faut. Personne ne l'aura, ce cheval, à part moi. C'est le cheval de mon Émilie. Il lui revient de droit.

Avant qu'il eût prononcé son nom, je n'étais pas tout à fait sûr que mes yeux et mes oreilles ne me trompaient pas, car le vieillard avait pris pas mal d'années depuis que mes regards s'étaient posés sur lui pour la dernière fois; sa voix était plus grêle et plus faible que je ne me la rappelais.

Mais j'étais certain, à présent : c'était bien le grand-père d'Émilie que j'avais devant moi. La bouche serrée par une détermination farouche, il jetait des regards furibonds alentour, mettant au défi quiconque de renchérir sur lui. Personne ne dit mot. Le boucher de Cambrai hocha la tête et s'éloigna. Même le commissaire-priseur était réduit au silence, abasourdi, et un certain temps s'écoula avant que le marteau ne frappe sur la table et que je sois vendu.

Chapitre 21

La figure du maréchal des logis exprimait une résignation mélancolique, tandis que le commandant Martin et lui causaient, après la vente, avec le grand-père d'Émilie. Plus de chevaux dans la cour, à présent; tous les acheteurs repartaient. Albert et ses camarades m'entouraient, partageant leur chagrin et tâchant de réconforter Albert.

– Il n'y a pas à t'en faire, Albert, disait l'un d'eux. Après tout, ça aurait pu être pire, pas vrai? Ce que je veux dire, c'est que plus de la moitié de nos chevaux sont partis pour la boucherie et ça, c'est radical. Mais nous savons au moins que Joey est plutôt en sécurité avec ce vieux fermier.

– Comment est-ce que tu sais ça? demanda Albert. Comment tu sais qu'il est fermier?

– Je l'ai entendu qui le disait à Tonnerre, si, si. Je l'ai entendu dire qu'il a une ferme, plus bas dans la vallée. Il a raconté à Tonnerre que, tant qu'il vivrait, Joey n'aurait pas besoin de travailler. Il n'arrêtait pas de jaspiner à propos d'une petite qui s'appelle Émilie, ou quelque chose comme ça. On ne comprenait pas la moitié de ce qu'il disait.

– J'sais pas quoi penser d'lui. Il a l'air fou à lier, d'après ce qu'il raconte : « C'est le cheval d'Émilie ; de plein droit » – mais qui c'est, Émilie ? Est-ce que c'est pas ça qu'il a dit, le vieux ? Mais, nom d'une pipe, qu'est-ce qu'il voulait dire par là ? Si Joey appartient de plein droit à quelqu'un, c'est à l'armée qu'il appartient. Et s'il appartient pas à l'armée, il m'appartient à moi.

– Tu ferais mieux de lui demander toi-même, Albert. Tiens ! c'est l'occasion : le voilà qui vient par ici avec le commandant et Tonnerre.

Albert avait passé le bras sous mon menton, et sa main était remontée pour me gratter derrière l'oreille, juste à l'endroit que je préférais – il savait où. Mais quand le commandant s'approcha, il ôta sa main, se mit au garde-à-vous et salua vivement.

– Faites excuse, mon commandant, dit-il ; je voudrais vous remercier de ce que vous avez fait. Je sais ce que vous avez fait et je vous suis reconnaissant. Pas votre faute si on n'a pas tout à fait réussi ; merci tout de même, mon commandant.

– Mais, de quoi parle-t-il ? dit le commandant Martin. Vous le savez, vous, maréchal des logis ?

– Pas la moindre idée, mon commandant. Ces gars de la campagne, ça les prend comme ça, vous savez, mon commandant. Parce qu'ils sont élevés au cidre, au lieu de lait. C'est la vérité, mon commandant : ça leur monte au cerveau. Forcé que ça joue, non ?

– Faites excuse, mon commandant, reprit Albert, intrigué par leur badinage. Je voudrais demander au Français, mon commandant, puisque c'est lui qui a acheté mon Joey, je voudrais lui demander quelque chose, rapport à ce qu'il a dit, rapport à cette Émilie... je sais plus comment il l'appelait.

– C'est une longue histoire, répondit le commandant, en se tournant vers le vieillard. Peut-être voulez-vous la lui raconter vous-même, monsieur ? C'est le jeune homme dont nous parlions, celui qui a grandi avec le cheval et qui est venu jusqu'en France rien que pour le rechercher.

Le grand-père d'Émilie resta à regarder Albert d'un air dur, en dessous de ses sourcils blancs en broussaille, puis, d'un coup, son masque se brisa et il tendit la main en souriant. Malgré sa surprise, Albert prit cette main et la serra.

– Alors, jeune homme, nous avons beaucoup en commun, tous les deux : moi, je suis français, vous, vous êtes un Tommy. Je suis vieux, vous, vous êtes jeune, c'est vrai. Mais nous avons un point commun, c'est que, tous les deux, nous aimons ce cheval, n'est-ce pas ? Et cet officier me dit que chez vous, en Angleterre, vous êtes cultivateur, comme moi. C'est le plus beau des métiers, et je le dis avec l'expérience des ans que j'ai derrière moi. Qu'est-ce que vous élevez dans votre ferme ?

– Surtout des moutons, monsieur. Quelques bœufs, et quelques porcs. On fait aussi pousser un peu d'orge.

– Ainsi, c'est vous qui l'avez dressé, ce cheval, pour le faire travailler à la ferme ? Bon travail, mon garçon, bon travail. Oui, je lis la question dans vos yeux avant que vous l'ayez posée, et je vais vous dire comment je sais ça. Votre cheval et moi, nous sommes de vieux amis, voyez-vous. Il a vécu chez nous – oh ! il y a bien longtemps, à présent – peu après le commencement de la guerre. Il avait été capturé par les Allemands ; ils l'employaient à tirer l'ambulance qui faisait la navette entre l'hôpital et le front. Il y avait avec lui un cheval extraordinaire, un énorme cheval noir, tout luisant. Ils logeaient tous les deux chez nous : notre ferme était près de l'hôpital de campagne des Allemands. C'était ma petite-fille, Émilie – elle était toute jeune –, qui s'occupait d'eux et elle avait fini par les aimer comme s'ils étaient de sa famille. Tout ce qui lui restait, en fait de famille, c'était moi. La guerre avait emporté les autres. Les chevaux sont restés chez nous un an, peut-être moins, peut-être plus, peu importe. Les Allemands ont été gentils : ils nous ont donné les chevaux en partant ; ainsi, ils étaient à nous, à Émilie et à moi.

« Puis, un jour, les Allemands sont revenus ; des Allemands différents, pas sympathiques comme les autres.

Ils avaient besoin de chevaux pour leur artillerie, alors ils ont emmené les nôtres en partant. Moi, je n'ai rien pu faire. Après ça, mon Émilie a perdu toute volonté de vivre. De toute manière, c'était une enfant maladive, mais à présent, ses parents morts, sa nouvelle famille qu'on lui avait enlevée, bref, elle n'avait plus de raison de vivre. Elle s'est éteinte, comme ça, et elle est morte l'an dernier. Elle n'avait que quinze ans. Mais avant de mourir, elle m'a fait promettre de retrouver les chevaux d'une manière ou d'une autre et de prendre soin d'eux. J'ai couru de nombreuses ventes de chevaux, mais je n'ai jamais retrouvé l'autre, le noir. À présent, j'en ai retrouvé au moins un, pour le ramener à la maison et le soigner, comme j'ai promis à mon Émilie.

Il s'appuya plus lourdement sur sa canne, à deux mains. Il parla lentement, en choisissant ses mots avec soin.

– Tommy, reprit-il, vous êtes un fermier, un fermier britannique ; alors, vous comprendrez qu'un fermier, qu'il soit français ou britannique – ou même belge –, ne donne jamais rien. Il n'en a pas les moyens. Il doit vivre, n'est-ce pas ? Votre commandant et votre maréchal des logis m'ont dit à quel point vous aimez ce cheval. Ils m'ont raconté comment chacun de ces hommes s'est donné tant de mal pour essayer d'acheter ce cheval. Je trouve cela noble. Je pense que ça aurait plu à mon Émilie. Je pense qu'elle comprendrait, qu'elle voudrait que je fasse ce que je suis sur le point de faire. Je suis un vieil homme.

Que ferais-je du cheval de mon Émilie? On ne peut pas le laisser à l'engrais toute sa vie dans un pré. De toute façon, je serai bientôt trop vieux pour m'occuper de lui. Et, si je me souviens bien de lui, et c'est le cas, il aime travailler, n'est-ce pas? J'ai une… comment dites-vous?… une proposition à vous faire. Je vais vous vendre le cheval d'Émilie.

– Me le vendre? dit Albert. Mais je n'ai pas assez d'argent pour vous l'acheter. Vous devez le savoir. Nous avons réuni vingt-six livres seulement entre nous tous, et vous, vous l'avez payé vingt-huit. Comment pourrais-je vous l'acheter?

– Vous ne me comprenez pas, mon jeune ami, repartit le vieillard, étouffant un petit rire. Vous ne comprenez pas du tout. Je vais vous vendre ce cheval pour un sou, plus une grande promesse : que vous aimerez toujours ce cheval comme Émilie l'a aimé et que vous prendrez soin de lui jusqu'à la fin de ses jours. Et en plus, je veux que vous parliez à tout le monde de mon Émilie; que vous disiez comme elle s'est occupée de lui et du grand cheval noir, quand ils sont venus vivre chez nous. Vous voyez, mon jeune ami, je veux que mon Émilie continue à vivre dans le cœur des gens. Je vais bientôt mourir, dans quelques années, au plus; alors, personne ne se souviendra plus de mon Émilie telle qu'elle était. Je n'ai plus de famille pour se souvenir d'elle. Elle ne sera qu'un nom sur une pierre, que personne ne lira. Aussi, je veux que vous parliez de mon Émilie à vos amis, dans votre pays. Sinon, ce sera comme si elle n'avait jamais existé. Voulez-vous faire cela pour moi ? Ainsi, elle vivra pour toujours, et c'est cela que je veux. Alors ? Marché conclu ?

Albert ne dit rien, trop ému pour répondre. Il tendit simplement la main, pour signifier son accord. Mais le vieillard négligea la main tendue, il posa les siennes sur les épaules d'Albert et l'embrassa sur les deux joues.

– Merci, fit-il.

Puis il se détourna, serra la main à tous les soldats de notre unité et, enfin, il revint en clopinant s'arrêter devant moi.

– Adieu, mon ami, dit-il, et il effleura mon nez de ses lèvres. De la part d'Émilie.

Puis, il s'en fut. Il n'avait fait que quelques pas, quand il s'arrêta et se retourna. Agitant son bâton noueux, un sourire moqueur et accusateur lui barrant la figure, il déclara :

– Alors, c'est vrai ce que nous disons : il y a un point sur lequel les Anglais sont plus forts que les Français, ils sont plus radins ! Vous ne me l'avez pas donné, mon sou, mon petit ami.

Le maréchal des logis Tonnerre extirpa une pièce de la boîte en fer-blanc et la donna à Albert qui courut vers le grand-père d'Émilie.

– Je la garderai précieusement, dit le vieillard. Je la garderai toujours.

Et c'est ainsi que je revins de guerre pour la Noël, monté par Albert pour entrer au village. Nous y fûmes accueillis par les Trompettes d'argent – la fanfare Hatherley – et par le ravissant carillon des cloches de l'église. C'est en héros, en conquérants qu'on nous reçut tous les deux. Mais, l'un comme l'autre, nous savions que les héros véritables n'étaient pas revenus, mais qu'ils gisaient là-bas, en France, allongés côte à côte avec le capitaine Nicholls, avec Topthorn, Friedrich, David et la petite Émilie.

Mon Albert épousa sa Maisie Cobbledick, comme il avait dit. Mais je crois qu'elle ne se prit jamais d'amitié pour moi. Ni moi pour elle. Il y avait peut-être là un sentiment de jalousie réciproque.

Je retournai travailler la terre avec la Zoey, qui paraissait sans âge et infatigable.

Albert reprit la ferme en main et retourna sonner sa cloche ténor. Et, plus tard, il me parla de bien des choses : de son père vieillissant qui, à présent, raffolait de moi presque autant que de ses petits-enfants, des caprices du temps, des marchés et, bien sûr, de Maisie. C'est vrai que son pain croquant était aussi bon qu'il m'avait dit. Mais, malgré toutes mes tentatives, je n'ai jamais réussi à manger un seul de ses gâteaux, car pas une seule fois elle ne m'en a offert un !

L'auteur

Michael Morpurgo est né en 1943 à St Albans, en Angleterre. À dix-huit ans, il entre à la Sandhurst Military Academy puis abandonne l'armée, épouse Clare, fille d'Allen Lane, fondateur des éditions Penguin, à l'âge de vingt ans, et devient professeur. En 1982, il écrit *Cheval de guerre*, son premier livre, qui lance sa carrière d'écrivain. Il a, depuis, signé plus de cent ouvrages – couronnés de nombreux prix littéraires dont les prix français Sorcières et Tam-Tam – qui font de lui l'un des auteurs les plus célèbres et les plus appréciés de Grande-Bretagne. Depuis 1976, dans le Devon, lui et Clare ont ouvert trois fermes à des groupes scolaires de quartiers défavorisés pour leur faire découvrir la campagne. Ils y reçoivent chaque année plusieurs centaines d'enfants, et ont été décorés de l'ordre du British Empire pour leurs actions destinées à l'enfance. En 2006, Michael Morpurgo est devenu officier du même ordre pour services rendus à la littérature. Il est l'un des rares auteurs anglais à avoir été fait chevalier des Arts et des Lettres en France. Il a également créé le poste de Children's Laureate, une mission honorifique dédiée à la promotion du livre pour enfants, que Quentin Blake, Jacqueline Wilson et lui-même ont déjà occupé. Michael Morpurgo défend la littérature pour la jeunesse sans relâche à travers tous les médias, mais aussi dans les écoles et les bibliothèques qu'il visite en Grande-Bretagne et dans le monde entier, notamment en France, pays qu'il apprécie particulièrement. Père de trois enfants, il a sept petits-enfants.

Découvrez d'autres romans
de **Michael Morpurgo**
chez Gallimard Jeunesse.

Hors série
Enfant de la jungle
Loin de la ville en flammes

Folio Junior
Anya
Jeanne d'Arc
Le jour des baleines
L'étonnante histoire d'Adolphus Tips
Le meilleur chien du monde
Monsieur Personne
Le naufrage du Zanzibar
Robin des bois
Le roi Arthur
Le roi de la forêt des brumes
Le royaume de Kensuké
Seul sur la mer immense
Soldat Peaceful
Tempête sur Shangri-La
Le trésor des O'Brien

On lit plus fort .com

Le blog officiel
des romans
Gallimard Jeunesse
Sur le web, le lieu
incontournable
des passionnés
de lecture.

ACTUS

AVANT-PREMIÈRES

LIVRES À GAGNER

BANDES-ANNONCES

EXTRAITS

CONSEILS DE LECTURE

INTERVIEWS D'AUTEURS

DISCUSSIONS

CHRONIQUES
DE BLOGUEURS...

Le papier de cet ouvrage est composé de fibres naturelles, renouvelables,
recyclables et fabriquées à partir de bois provenant de forêts plantées
et cultivées expressément pour la fabrication de la pâte à papier.

Maquette : Maryline Gatepaille

Loi n°49-956 du 16 juillet 1949
sur les publications destinées à la jeunesse.
ISBN : 978-2-07-064662-3
Numéro d'édition : 237450
Dépôt légal : décembre 2011

Imprimé au Canada